iF
易富文化
17buy.com.tw

iF

富文化
17buy.com.tw

iF

富文化
17buy.com.tw

35歲前要有的33種態度

35×33

蘇美靜、流川美加、張 軍◎編著

【作者序】

找到人生快速道的
正確入口

　　這本《35 歲前要有的 33 種態度》是我繼《什麼人賺什麼錢》之後，在易富文化出版的第二本書籍。

　　老實說，當初在接到易富文化王總編輯希望延續 35 × 33 話題，所提出的讓青年朋友們在面對誘惑挫折考驗，該具備的正確態度企劃時，實在有點惶恐。因為《35 歲前要做的 33 件事》出版至今，所造成的出版話題仍持續延燒，讀者幾乎人手一本的情形下，身為此系列的續作，所背負的壓力不可謂不大。

　　還好在用 MSN 與流川美加小姐、張軍先生的反覆溝通交流中，我們發現彼此的人生經歷有許多類似之處，就是面對挫折考驗時，都能有正向的態度去面對。也因為這樣的共通處，所以我們才能盡情交流想法，擬出《35 歲前要有的 33 種態度》的架構。

　　而我也從彼此的溝通對話中警覺到，其實我是缺乏了書中所列的「丟掉舊包袱，挑戰新極限」，所以才會拘泥在 35 × 33 過去舊有的包袱，無法邁開腳步向前，進而限制之後的更好發展。由此可見，一個正向態度的影響有多大，而「尋找能同穿一條褲子的麻吉」又有多重要。

　　正如我一向所秉持的理念：只要痛下決心，成功絕對可以透過學習改變而來。同樣的，成功可能需要很多「硬體」條件——學歷、能力、背景等，但如果沒有正確的態度這個「軟體」做支撐，一切硬體都將無從發揮作用。

　　美國心理學之父威廉・詹姆斯曾說，當代最偉大的發現是「改變態度，就可以改變一生」。換句話說，目前擁有的態度並不一定能決定你的未來，你仍然可以改變它。本書所要帶給大家的，就是如何在面對挫折考驗時，擁有正確的人生態度。

　　透過跨國界、跨領域的相互溝通，我們整理規劃出33 種人生應該具備的態度，說這 33 個都是態度或許有點牽強，其實在界定上有些應該屬於心態、個性或方

法，但是我們認為這些都跳脫不出人生該有的正確態度框框，所以在書中就把它們統整在這 33 種態度。33 種態度說多不多說少不少，但是每一種態度都能讓你所面對的人生道路更加寬廣，相信只要認真地正視它們，對你肯定有所助益。

最後要再跟各位共同勉勵的是，態度是面對困難時的意志，是對情緒的調控，是對現實與夢想的平衡……它最容易成就一個人，也最容易毀掉一個人。相信只要你能從態度入手改變自己，那麼在人生的快速道路上，你便找到了正確的入口。

2006.02.27 台北

【作者序】

如果可以重新年輕，
我會選擇不同的態度

　　在幾次和易富文化的合作裡，我們建立了愈來愈好的默契，我也從中體會到了不同國家彼此之間的文化差異，常常會忍不住驚嘆：「啊！原來台灣人是這樣啊！」或是，「哦，原來中國人是這樣想的！」

　　當然，同事們對於我這個日本人也不時會發出讚嘆：「哇！你工作態度好認真啊！」然後我才慢慢知道，原來在其他民族的眼中：日本人是很嚴謹的，對事情要求非常完美，很關注每一個小細節。因此我們歸結出：這種工作態度也許就是日本人能在世界各地成功的重要要素之一。

　　不同的態度，就會產生不同的文化成果；不同的態度，當然也會產生不同的工作成果。正因為這樣，易富文化的王總編輯發想了一個創意：我們何不來出一本

書，討論一個人的態度會怎麼影響他的工作，甚至是他的人生？

這是一個很好的點子，所以台灣、中國、日本三地的作者又集合起來了，我和蘇美靜小姐及張軍先生開始在 MSN 熱烈地討論「35 歲前要有的態度」。最後總結出來的 33 種態度，都曾經在我們人生的重要時刻發揮過作用，幫助我們突破工作上的瓶頸，或幫助我們改善和別人之間的關係。

這本書完成了之後，我們更加深刻體認到「態度」對一個人來說有多麼重要。在年輕的時候，我們常常會犯一些「態度上的錯誤」，也許我們的工作能力很強，能把每一件事做得盡善盡美，但我們也常常不會給別人留餘地，留給別人不好的印象。因此，如果可以重新年輕，我們就會選擇不一樣的態度，不會隨便傷害自己和他人。

正確的態度應該愈早建立愈好。如果一個人過了 35 歲，還繼續犯「態度上的錯誤」，就很難被原諒了；到了「歐吉桑」、「歐巴桑」的年紀，還因為態度不佳而被人責備，那就真的是顏面掃地了。

　　感謝我識出版社規劃了這本書，也感謝蘇美靜小姐
和張軍先生大方地分享他們的經驗，以及我識編輯群的
通力合作，他們的工作態度令人佩服。

りゅうがわみ　か
流川美加
2006.02.15 東京寓所

開啓人生謎團的金鑰

　　人不管地位高低、知識多寡，唯一可以控制而又最難以控制的就是自己和自己的態度。我們可以看到有的人身無分文卻終能富可敵國，而有的人家財萬貫卻落得一無所有；有的人力僅縛雞卻能勇退暴徒，而有的人身體孔武遇事卻總退避三舍；有的人逆境連連卻總能破繭而出終至功成名就，而有的人一生順遂卻歸於平庸一事無成……

　　擁有什麼樣的態度就會有什麼樣的行為方式，而行為方式決定著人的人生走向。誠然，態度能夠成就人，態度也能夠毀掉人。

　　當初在知悉台灣易富文化總編輯王毓芳小姐欲集結亞洲作者，結合兩岸三地經驗，製作一本提醒身處亞洲的青年朋友，在面對生命諸多誘惑考驗時，能有正確態度應對的書籍企劃時，只覺得這類的構想很不錯。

　　不過，在與日本的流川美加小姐、台灣的蘇美靜小

35×33

姐深入溝通討論看法的時候，我們發現一個問題，就是沒有人願意永遠過著庸俗的日子，沒有人在年輕時就甘於做平凡人；但是為什麼總等到年紀漸長時，卻又不得不承認，這輩子只能這樣。究竟是什麼原因讓一個原本對世界充滿好奇、對未來充滿渴望、對人生充滿理想的青年一步步變得如此平庸、世俗？

我們從其出身找原因，也找出無數類似環境艱苦、運氣太差等等的理由。但是，直到美加小姐提出一個觀念：當我們沉靜下來，反觀內心，卻都還能夠得出一個殊途同歸的結論——態度，正是錯誤的態度毀了人生。就這樣，《35 歲前要有的 33 種態度》便在彼此的腦海中達成共識。

之所以我們會指出 35 歲以前該有這 33 種態度，主要是因為人生的第一個 35 歲恰巧是關鍵。 35 歲前後，是人生擁有初步基礎的階段，所以在這之前就擁有正確的態度，能影響到爾後一生的成敗。但並不是說年過 35 歲擁有就來不及了，其實只要從你翻開本書這一刻開始去設法改變擁有，就永遠不算太遲。

態度是什麼？它看不見、摸不著，似乎與財富、地

位和能否成功毫無關聯，所以很容易被人們忽略。但事實上，老天爺賜給人類三把金鑰，好讓一個人能開創成功的人生，前兩把是「家世」與「學歷」，擁有其中之一都能讓你易於擠進成功者俱樂部，但是如果老天爺不曾給你顯赫的家世和出身名校的高等學歷，那麼，「態度」將是唯一能使你勝出的鑰匙。因為態度是人類生存和心靈狀態的密碼，掌握了它，也就等於掌握了開啟人生謎團的金鑰。

在這本書中，我們擬定了六個面向，從小到大，從細微到深廣，期望藉由這六大面向能讓身處亞洲的新世代正視自己的態度。不管你是還未 35 歲、已經 35 歲，或是過 35 歲很久，都應該開始盤點你現有的人生，如果還不那麼成功，從態度入手去找原因，你會找到最正確的答案；展望人生，以態度作為突破口，你便會找到成功的捷徑。

張軍

2006.02.25 北京

[目錄] CONTENTS

作者序...2

第一部
左右人格的特質.........................23

第 1 種態度
用笑容和讚美打破僵局...........................24

讓自己常把微笑和讚美的話語掛在嘴邊，你將發現世界從此刻起開始變得不一樣！

第 2 種態度
以「誠」為自己加分..............................33

真誠是為人處世的必備道德，同時也是成功的資本。只有早早就待人真誠，生活才會提早獲得豐厚回報！

第 3 種態度
做人要有點「厚黑」..................40

有智慧的人，心機不可少，也不可多，就要那麼一點點。

第 4 種態度
別讓毒舌毀了你 49

　　有些人就是喜歡毒舌挖苦人，或習慣潑人冷水，卻不知道「冷水是會傷人，不能亂潑的」！或許有的人會認為，不過就是開開玩笑罷了，何必當真？但如果玩笑開得太過火，那就變成戲謔或嘲諷，聽者可能就會感到很不舒服！因此，我們得想想，嘴巴是不是也該消消毒，把自己的嘴巴品管一下，不要隨意潑冷水或挖苦毒舌，免得傷到別人或得罪別人而不自知。

第二部
決定人生的價值..................59

第 5 種態度
珍惜人生旅途中的重要過客 60

你會捨近求遠，忽略身邊的一切嗎？當你瞇起眼睛眺望遠方企

圖尋找更虛幻的晴空時，是否忘了仰首就能望見萬里無雲的好天氣……日常生活的一點一滴都蘊藏著快樂，尋找的時候，可別忘了自己的身邊哦。

第 6 種態度
付出就不要想回報 69

付出的，並不一定都會得到回報；但不付出，是絕對沒有回報。

第 7 種態度
不要輕信眼睛所看到的表象 76

懷疑猜忌是人際交往的障礙和大忌，更是造成現代家庭夫妻失和的主要因素。……我們要先認定眼前所見到的未必都是正確，摒棄自己對家人的猜疑心，才能對外展開正常、健康的交往。

第 8 種態度
讓積極左右你的行為 84

一個人如果在任何時候都能保持快樂、積極的心態，那麼這個人一定是生活中的強者。因為快樂積極的態度會讓人變得堅強有力起來。

第三部
點燃生命的熱情 91

第 9 種態度
看見別人的優點,學習它、擁有它 92

　　懂得從古籍、從與人相處中發現別人的長處、自己缺乏的特質,所以松下幸之助先生無論在做人、做事方面都是公認的成功者。信守「七分注意一個人的長處,三分注意其短處」的原則;重長處、輕短處……對處於完美與缺陷矛盾之中的平常人來說,實在是一個既可啟發思想,又可指導行動的大智慧。

第 10 種態度
不爽和憤怒別發洩在旁人身上 99

　　有人問達賴喇嘛應如何處理憤怒,他的回答是:「不要壓抑,但也不要衝動行事。」的確,不論對事還是對人,諒解的心才是最佳的滅火劑。

第 11 種態度
擁抱生命中的不完美 110

　　法國大思想家盧梭說:「大自然塑造了我,然後把模子打碎了。」事實的確是如此,只是許多人不肯接受這個已經失去模子的

獨一無二自我，用自以為完美的標準模子，想把自己重新塑造一遍，結果反倒是失去了自我。

第 12 種態度
走路之前，先學跌倒 118

「你把失敗當機會，失敗也就遠離了你。」請相信一個事實：一個最失敗的人也具有最大的潛力，成為最成功的人……跤跌得愈多的人，成就反而愈好；而且，愈早跌跤，對挫折的忍受力也就愈強。

第 13 種態度
說「不」，就能跟麻煩拜拜 126

「不」這個字聽起來真的很刺耳嗎？也許是的，可是換個角度來看，其實有時候我們說「不」就是在對成功說「是」。

第 14 種態度
退後是為了之後能向前 134

其實「爭」與「讓」並非不相容，反倒是經常互補。在生意場上也好，在外交場合也好，在個人、集團之間，也不是一個競「爭」到底，忍「讓」、妥協、犧牲有時也很必要……以隱忍的心態做人，以積極的準備做事，那麼大事便可成。

第四部
擬定行動的策略 143

第 15 種態度
夢想要與現實合為一體 144

　　新與舊、思想與現實會發生種種碰撞，尤其當現實與個人發生矛盾的時候，首先要以適應的心態看待現實。適應不等於妥協，而是實現自我的必要策略，是給自己營造一個更適宜的生存環境。要知道，抱怨、指責不能解決任何問題，只能讓自己與所期待的夢想越來越遠。

第 16 種態度
留意人生時刻表，緊握「機會」單程票 152

　　生活就是如此，它不斷地將禮物送到你的手中，而接不接受就在你自己。當然，機會也不是靠等來的，總是等待機會，就會失去機會……人生，不一定要當「最好」，但一定要懂得讓自己「更好」；不一定要登峰造極，但一定要懂得讓自己保持在當下的狀態中。

第 17 種態度
行動別被自以為是「恐固力」..................160

　　孔子說過：「知之為知之，不知為不知，是知也。」在現實生

活中，大多數的人都不願意說出「不知道」這三個字，深怕自己這麼說了以後會被輕視，更怕自己沒有面子。其實，對自己不知道的事情，坦率說出來反而容易贏得別人的敬重，也讓自己有一次再學習的好機會。

第 18 種態度
勇猛衝鋒，也要懂得激流勇退.................167

聰明人懂得在成功時激流勇退，在輝煌時褪向平淡，懂得何時不該再分享別人的富貴，免得從高處摔下來。而那些不知進退的傢伙，當然就難有好下場，這事怪不得別人，誰讓他不識時務呢！

第 19 種態度
丟掉舊包袱，挑戰新極限 174

我們不能永遠安於現狀，思維不要侷限於一定的框框中，這才是我們能夠不斷創新的動力……變化，就是機會出現的時候；在努力掙脫束縛，卻發現實在難以完成時，應該轉變一下思維方式，從另一個角度看，從另一條管道擺脫，多次試探之後，無形的牆就會自動消失了。

第 20 種態度
轉個彎，路更寬.................................183

無論在生活還是工作，當我們遭遇「瓶頸」不能自拔時，試著換個角度看問題，往往問題就會迎刃而解，心情也會跟著愉快起來。

第 21 種態度
以平常心看世界 190

人生充滿了變數,你永遠無法知道明天會發生什麼,所以面對人生的各種遭遇,應該以怎樣的態度來對待它呢?或許每個人的心中都有自己的選擇,但是你如果想要成功,就應該用平常心來笑對人生遭遇。不是我們不在乎,而是要以笑來告別不幸,以平常心迎接希望……

第五部
勝出職場的金鑰 199

第 22 種態度
戴上專業的假面 200

「專業」是職場求生必備的條件及利器,不論你的年紀大小,最好趁現在開始,努力讓自己具有專業的新形象,才不會讓身價隨年紀增長而貶值。……實際去改變,就能正視生活及個性上的缺憾,不管原來的你是什麼樣子,都會因改變形象打開另一條人生道路。

第 23 種態度
尋找能同穿一條褲子的麻吉 207

要想有所成就，便必須有能與他人合作的態度，尋找可以一同打拼的伙伴。只有善於與他人合作，才能彌補自己能力的不足，達到自己原本達不到的目的。

第 24 種態度
多喝咖啡少聊是非 215

喝咖啡沒問題，但聊是非就最好只聽聽吧！把自己的注意力放在工作上，而不是同事間的人事紛擾……在職場與人交往，一定要謹守：不願意當面說的話，也別到處說，當你能做到這點，除了遠離很多是非之外，更可以建立良好的人脈關係。

第 25 種態度
功勞要讓長官領，黑鍋默默自己揹 222

在職場上，適時表現自己是必要的，但過度表現則會讓你「顧人怨」，尤其是你的上司最不願看到你的鋒芒比他更露……如果你承認職場是個戰場，就該知道人人都想獲得榮譽和讚賞。所以，當你立了大功，別忘了你的上司功勞永遠比你大，因此，把功勞給他吧……想在職場上生存，肩膀就要比別人更厚實，心臟要比別人更強壯。萬一發生事故、出現危機，幫上司擦屁股、收爛攤，是天經地義的事，別問為什麼，事實就是如此。

第 26 種態度
沒事也得找罵挨 231

吸取別人的人生經驗，放低自己的身段態度，是讓你快速成功學習的好方法，而學會看待挨罵，進而從中學到挨罵後的學習方法，更是別人都想不到的好撇步喔！

第 27 種態度
不管工不工作，都要時時學習 239

你有多久沒到書店逛逛，看本對你有所助益的書籍了。也許很多人從學校畢業後，就不再看書，報紙也只看娛樂體育新聞，只會注意雜誌的八卦消息。如果，在 35 歲之前，不能培養隨時學習的態度，那麼你將遠遠落後在資訊轉變的洪流之中。

第 28 種態度
快！快！快工作，慢！慢！慢生活 246

在亞洲人瘋狂工作的同時，歐美卻吹起一股「慢活」風：愈來愈多的人渴望過安定、不匆忙的生活。……21 世紀正是告別工作狂的年代，該是休閒登場的時候了！

第六部
通往成功的道路 255

第 29 種態度
堅持，就能找對位置 256

成功就站在失敗的後面，只要多往前走幾步，你就會看到它。勇於堅持的人可能在當時失敗，卻在後人心中勝利；可能在名利上失敗，卻在精神上勝利。這就是堅持的人生。堅持，就是一首永無休止符號的進行曲。

第 30 種態度
真的要「放棄」.................................267

生活中不可能什麼東西都能得到，總有你覺得可惜的事情，總有放棄的東西。不會放棄，就會變得極端貪婪，結果什麼東西都得不到。放棄今天的舒適，努力「充電」學習，是為了明天更好的生活。若是一味留戀今天的悠閒生活，有可能明天你將整天哭泣。學會放棄，可以使你輕裝前進，能夠攀登人生更高的山峰。

第 31 種態度
做金錢的主人 275

邱吉爾說：「聰明的人能將有限的收入作很好地安排，他們會

享受用錢的滿足感，但絕不會為錢所用。」金錢只是一種工具，35歲前的你，想要做個金錢的主人，真正掌握致富的契機，如果不從「現在」就開始，那你將會離財富愈來愈遠。

第 32 種態度
生活就是要簡單 284

以前大家總是一窩蜂花錢買昂貴的營養食品，現在卻發現便宜的地瓜才最有營養……所以，貴並不代表有用，有錢並不能帶來真正的快樂；好東西常常藏在最便宜、最簡單的地方。地瓜哲學就是：東西的重要在於內涵營養，不在價格，生命也是如此。

第 33 種態度
揮灑分享的藝術 291

歌德說：「能分享他人痛苦的，是人；能分享他人快樂的，是神。」生命活水是在分享中湧出，透過分享，人的發展也會比較平衡而完整。一個懂得分享的人，生命就像太平洋的活水一樣，豐沛而且充滿活力。

第一部
左右人格的特質

態度是學歷、經驗之外，人格特質的總和。

它無法分出絕對的好與壞，它只是一種選擇，

但它將左右你的人格特質。

幸運的是，你每天都可以自行決定採取何種態度。

你無法改變過去；

無法改變別人的反應；

也無法改變會發生的事。

你唯一能做的，就是緊握手中的繩子（就是你的態度）。

人生 10%來自你遭遇到的事，90%是你應對的態度。

總之，一切都操之在你手上。

第一部　左右人格的特質

01 用笑容和讚美
打破僵局

讓自己常把微笑和讚美的話語掛在嘴邊，你將發現世界從此刻起開始變得不一樣！

現在的社會，每個人都匆匆忙忙，或為課業、或為家庭、或為工作、或被金錢壓得喘不過氣，往往連個微笑，連句讚美都捨不得送人，難怪每個人看起來，都是愁眉苦臉，都是面目可憎。

這都是因為我們總把所有的心思，放在期待「得到」，腦海中無時無刻盤算，我們做了這些事，可以得到什麼利益？享受什麼成果？

但是我們卻很少把心思，投入可以「喜捨」的部分，想想我們這麼做，別人會不會方便一點？能不能

輕鬆一些？

假使我們都不願意給別人，又有何資格要求別人
必須給我們呢？在我們有能力的時候，不肯伸出援
手，那麼在我們需要的時候，又有什麼資格要求別人
要伸出援手呢？

微笑可以說是最容易做到的付出。它能夠帶給人
溫暖如春的感覺，所以在與人交往的過程中，真誠的
微笑往往會給人留下美好而深刻的印象。**會心的微笑
是產生友情的關鍵，因為它可以縮短人與人之間的
心理距離**，為之後更深入的溝通與交往，創造溫馨和
諧的氣氛。

▶ 帶快樂回來

我有一次到朋友小張家去做客，在朋友家門口赫
然看見掛了一塊小木牌，寫著：「**進門前，請脫去煩
惱；回家時，帶快樂回來。**」

進屋後，果然看見小張和他老婆一團和氣，孩子

們大方有禮，溫馨、和諧充盈著整個屋子。

我自然詢問起那塊木牌，小張的太太便笑著望向小張：「你說。」

小張則溫柔地看著老婆：「還是你說，因為這是你的創意。」

最後，她輕緩地說了：「有一次，我回家在電梯的鏡子裡看到一張困倦、灰暗的臉，一對緊擰的眉毛，煩惱的眼睛……把我自己嚇了一大跳。於是，我想，當孩子、丈夫面對這樣愁苦陰沉的面孔時，會有什麼感覺？假如我面對的也是這樣的面孔又會有什麼反應？接著我想到的是，孩子在餐桌上的沉默、丈夫的冷淡……。

第二天我就寫了這塊木牌以提醒自己。結果，沒想到提醒的不只是我，而是一家人，奇蹟就這樣出現了。而且，不僅是我們，連到我家的客人也都變得歡歡喜喜……。」

一個擁有微笑面孔的人，就會帶給人希望。因為

笑容就是他善意的表現，他的笑容可以照亮所有看到
他的人。我相信應該沒有人喜歡幫助那些整天皺著眉
頭、憂容滿面的人，更不用說要信任他們了。

我一直很欣賞一句極富詩意的話：我最喜歡的一
朵花是開在別人的臉上。

**微笑就是這樣一朵盛開在人們臉上的花。微笑能
升起人們心中的太陽，是人們隨手能給的高貴禮
物。**當我們把這種禮物奉獻給別人的時候，就能贏得
友誼、贏得一切。微笑輕而易舉，光芒卻能照亮所有
看到它的人，就像穿過烏雲的太陽，能夠帶給人們溫
暖。所以讓我們微笑吧！微笑著面對生活，面對周遭
每一個人。

另外，從社會心理學的角度來看，**讚美鼓勵也是
有效的交往技巧之一，它同樣能有效縮短人與人之
間的心理距離。**回憶我們的成長經歷，有誰沒有熱切
地渴望過得到他人的讚美？既然渴望讚美是人的一種
天性，那在日常生活中我們就應學習和掌握好隨時給
人這樣的鼓勵。

▶ 讚美的力量無窮！

從前有一個笨小孩，小時候住在台中新社山上，因為患有非常嚴重的鼻竇炎，所以小學生活都花費在對付又黃又稠的鼻涕，功課自然落後許多。不知不覺中，笨小孩告別童年，升上了國中。父母考慮到他以後的人生，覺得該換一個更好的教育環境，便決定舉家遷到台北，並且開始尋訪名醫來治好他的鼻竇炎。

此後，每週日對笨小孩來說都是噩夢，父母押著他到診所治病。但每次笨小孩都要大吵大鬧，一方面是想替拮据的家計省下昂貴的醫藥費；另一方面，實在是因為治病過程太痛苦了。

某個星期天，父母剛好都有事，便由姊姊帶著笨小孩去看病。醫生看見大人沒來，先是長嘆一聲，然後語重心長地對笨小孩說：「弟弟，你的鼻竇炎的確很嚴重，害你不能專心念書，但是不能因為這樣就放棄努力喔！條件不好的人，一定要比別人更加勤快，勤能補拙，你知道嗎？你要好好想一想，為了治你的病，爸爸媽媽多麼辛苦，你如果還不認真讀書，只會

讓他們更操心……。」

這是笨小孩第一次聽到「勤能補拙」這個成語，不知為什麼，他從心底湧出一陣又一陣的羞愧，半句話都說不出來。

醫生恐怕不知道這席話改變了一個孩子，在那個神奇的星期天，「勤能補拙」這四個字刻進笨小孩的腦中。回家後，他跑去問爸爸：「現在開始用功來得及嗎？」「來得及，一定來得及！」又驚又喜之餘，他們給了一個非常樂觀的答案，也給了笨小孩最大的鼓舞。

但是，奇蹟並沒有發生。他已經國三了，因為無法適應激烈的課業競爭，一直讀放牛班，以賽跑來說，差不多落後前面一百圈。那年的高中聯考當然只有名落孫山。

可是努力的馬達已經啟動，笨小孩升上國四，進入超級嚴格的魔鬼補習班，他咬牙用功，認為這是必須承擔的命運，他要把落後的一百圈，一圈一圈地補回來。笨小孩告訴自己：「因為我的條件比別人差，

所以一定要加倍努力。」

終於，笨小孩考上成功高中，之後又進入政大企管系，開始有人誇他聰明、敏銳。但他認為自己始終是個笨小孩，只不過「勤能補拙」這四個字已經像影子般，牢牢地和他連在一起。他就這樣靠著「比別人認真」的態度悠遊職場，從在 IBM 、 HP 等大公司工作，一路到自己開公司，成為作家。他的職場表現獲得無數讚美，作品鼓勵無數失意徬徨的人。曾經破碎的信心，終於一針一針地縫補回來了。這個笨小孩就是今日的暢銷書作家吳若權。

當初的醫生怎會知道一時的語重心長，能成就出馳騁文壇的名作家。**對讚美者而言，他做的或許只是「張口之間，舉手之勞」，而就是這樣一個簡單的舉動，帶給被讚美者的可能就是終生美好的回憶和不懈的努力奮鬥。**

讚美之於人心，亦如陽光之於萬物。既然讚美對我們的生活有這麼重要的作用，那麼我們就不要吝嗇對別人的讚美。

　　即使是公司管理者只要能適時給予員工一些讚美鼓勵，在這種充滿激勵的環境下，員工也能信心大增地完成任務。相反地，如果管理者盡說些打擊士氣的批評話語，不但不會給企業帶來效益，還可能影響到員工工作的積極性。

　　千萬別小看這小小的舉動，讚美它不但可以喚起人們強烈的工作熱情，還可能改變對人生的態度，讓他們對人生的道路多一種選擇。**因為一句讚美的話，很可能會就此改變一個人的觀念和行為，甚至還會改變他們的命運。**

　　一個微笑或讚美在生理上可能只是肌肉的拉扯，卻是人際情感的溫馨交流。散發微笑的人，所表現的喜悅不用任何媒介就可以直接傳達到其他人身上；讚美更是世界上最甜美的病毒，能輕易將所要表達的鼓勵傳染給旁人。

　　當我們每一次奉獻出微笑或讚美時，其實就是在為人類幸福的氛圍增加分量，而付出後的光芒也會反照到我們的臉上，帶來方便、快樂和美好的回憶，你

何樂而不為呢？

　　35 歲前，讓自己常把微笑和讚美的話語掛在嘴邊，你將發現世界從此刻起開始變得不一樣！

02 以「誠」為自己加分

真誠是為人處世的必備道德，同時也是成功的資
本。只有早早就待人真誠，生活才會提早獲得
豐厚回報！

　　許多人都說，現在人與人之間缺少真誠，感到這
世界充滿了狡詐和欺騙。網路上更是到處流傳著叫人
不要太有善心、不要多管閒事以免惹禍上身的郵件。
曾幾何時，社會上人與人之間竟變得如此不信任，從
前那個純樸友善的台灣哪裡去了？

　　《韓非子》中說：「巧詐不如拙誠。」這句話是
說，與其運用巧妙的方法來欺瞞他人，不如誠心誠意
地對待別人。因為巧詐可能一時得逞，但時間一久，
就真相畢露了；相反的，拙誠就是要我們誠心地做

事，誠心地待人，儘管可能在言行中會有愚蠢的表
現，但時間長了一樣會贏得大多數人好評。

要想做到這一點，就需要在交往中不可失去誠
信，交友不可失去信任。

▶ 眞誠是友誼的基石

真誠是做人的基本品質，是人與人之間相互信賴
和友好交往的基石。每個人都喜歡和誠實正派的人打
交道。因為這樣可使對方有安全感，不會有疑神疑鬼
的表現。

為人真誠表現在與人交往中，就是以誠相待，說
實話，辦實事，做老實人，對人要真心實意，以心換
心，千萬不可虛心假意，耍些小聰明。

為人真誠，還表現在要誠實地對待，當對方真誠
地與你交往，關心你，愛護你的時候，要以同樣的真
誠，甚至更多的真誠去回報對方。在別人獲得成功
時，真誠的送上幾句祝福，表示祝賀，在求人幫助
時，真心的附上你的微笑，對方會更樂於答應你的請

求。只要我們的交往是在用心、用真誠對待別人，是
會得到相應的回報的。滴水之恩，當以湧泉相報，這
樣以心換心，之間的情誼必然是根深蒂固。

◉ 以誠待人，人必以誠相報

　　陽明大學教授洪蘭女士曾提過發生在她美國妹婿
身上的故事：當他在阿拉斯加打工時，有次與朋友在
山上聽到狼嗥，他們緊張地四處搜尋，結果發現是母
狼被捕獸器夾住，正在狂嗥。

　　一看到那奇特的捕獸器，他們就知道這是當地一
名靠著業餘捕獸，賣毛皮補貼家用的老工人所架設，
但這名老人已經因為心臟病被送到醫院急救。所以，
母狼之後可能就會因為沒有人處理而餓死。

　　他們想釋放母狼，卻因為母狼太凶，而無法靠
近；又發現母狼在溢乳，表示狼穴中還有小狼。為了
拯救母狼和小狼們，所以他與同伴費了九牛二虎之力
找到狼穴，將四隻小狼抱來母狼處吃奶，以免牠們餓
死。又把自己的食物分給母狼吃，以維持牠的生命，

晚上還得在附近露營，保護這個因母狼被夾住，而無法自衛的狼家庭。

一直到第五天餵食時，他發現母狼的尾巴稍微搖一搖，他們知道已開始獲得母狼的信任。又過了三天，母狼才讓他靠近到可以把捕獸器鬆開，把母狼釋放出來。母狼自由後，舐了他的手，讓他替牠的腳上藥後，才帶著小狼走開，一路還頻頻回頭望他。

之後，他坐在大石頭上思考，如果人類可以讓凶猛的野狼舐他的手，成為朋友，難道就不能讓另一個人放下武器成為朋友嗎？從此，他決定一定要先對別人表現誠意，因為從母狼的身上，他看到，**先釋放誠意，對方一定會以誠相報。**

因此，他在公司中以誠待人，先假設別人都是善意，再解釋他的行為，常常幫助別人，不計較小事。所以他每年都升級，爬得很快。最重要的是，他每天過得很愉快。助人的人是比被助的人快樂得多，雖然他並不知道中國有「施比受更有福」這句話，但是他已證明了這一點。

　　在日常生活中有誰不願被人真誠相待，可又有幾人能真誠待人？或許我們都曾經體驗和看到更多被人欺騙的例子，便條件反射般地把真誠隱藏起來，於是，大家都生活在一個心藏真誠、渴望真誠而又極度缺乏真誠的社會。但如果你嘗試著真誠待人你會發現，你付出了真誠，你得到的真誠遠比欺騙多得多。你會發現，以真誠體驗真情原來並不困難。

　　《禮記‧大學》中說：「誠真意者，毋自欺也。」就是說，要做一個真心實意的人，不要自欺。喜歡詐術的人，雖然能一時欺瞞別人，也能獲得一些利益。但是，久而久之，就會失去別人對自己的信賴，最終不但獲利不多，反而損失更大。所以真心待人，人必以真心還報之；欺詐待人，人必以欺詐治其身。這是人際關係中一條不變的準則。

　　35 歲是你事業漸趨於穩定的階段，正應該為家庭、未來好好衝刺，然而此時才要開始培養人際，或給人誠信的印象都已經太遲。**因為真誠是為人處世的必備道德，同時也是成功的資本。只有在 35 歲之前就能待人真誠，生活才會提早獲得豐厚回報。**

　　小梅原本在一家百貨商行負責銷售的工作，由於她熱情接待每位客戶，因此短短半年內，她的銷售成績便十分斐然，為公司帶來許多利潤。然而因為市場競爭，經濟不景氣，商行的生意突然一落千丈，讓小梅和其他員工措手不及，無所適從。

　　迫於公司財務難以維持，老闆只好縮小商行規模、裁員資遣，以度過難關。小梅也成了其中被裁掉的一員，不過當結算年資時，小梅發現老闆多給了半個月的工資。當時，她心想是老闆搞錯了，還是故意想考驗她。這半個月的工資該怎麼處理？要，還是不要呢？

　　小梅足足想了好久，最後還是決定告訴老闆，他多發了半個月的工資。老闆把錢拿在手中說，小梅是所有離職的員工中，唯一退還這不該得工資的誠實員工。並說只要將來商行的生意恢復變好了，還會叫她回來上班。

　　離開公司好幾個月的時間，小梅只能靠著以前的積蓄，及到處打工，勉強賺取房租、填飽肚子。她心

想，老闆說之後會再請我回去，也許只是客套話罷了。怎知道，老闆真的打電話來了，原來商行生意又奇蹟般地好轉，正需要像小梅這樣誠實的員工。於是，小梅擺脫艱苦的日子，重新回到商行，被聘為業務經理。

從身邊隨處可見的例子，我們可證明，成功往往與誠實結伴而行。**誠實是一個人最基本的人格要素，也是做人最基本的道德要求。誠實是成功的基石，也是一個人走向成功的目標。**

所以，真誠對人，不為眼前利益欺瞞說謊，你才可能結交真正的朋友，無論待人還是處事，35 歲前你應該學會以「誠」字做為自己做人的原則，這樣才能得到別人「誠實」的回報。

第一部　左右人格的特質

03 做人要有點「厚黑」

有智慧的人，心機不可少，也不可多，就要那麼一點點。

　　誠信是為人處世的必備道德，同時也是事業成功的資本，所謂的誠信就是為人不張揚，重視人際關係勝過具體的利益，但是有時候太過強調誠信也容易受到傷害，畢竟防人之心絕不是可有可無的。

　　做人還是要有點心機。沒心機的人就像木偶一樣，凡事缺乏自主，只好任憑別人的安排和擺布。當然這裡所指的心機並不是害人之心，也不是處心積慮算計別人之心，更不是耍陰謀玩手段的欺詐之心。做人還是得要光明磊落，心裡沒有一絲陰霾，才稱得上是純粹的人。

▶ 心機是生活中的智慧

有一點心機，就是從生活中汲取智慧。沒有經歷
過社會的洗禮，生活的磨礪，這樣的人始終純樸天
然，絲毫沒有心機可言。只有涉世歷久，人情世故歷
經得多，才會自然產生心機，因此心機也可說是生活
的濃縮和提煉。

為人處世留點心機，是保護自己免受傷害的護身
符。正所謂害人之心不可有，防人之心不可無。人情
冷暖、世態炎涼，社會中的事情錯綜複雜，面對這樣
的世界不留有心機，怎麼能正當地維護自己的利益？

然而把人與人之間純潔的情誼看成是金錢附庸的
小人，在生活中可說比比皆是。他們把權勢錢財看得
特別重，見到權勢錢財便趨之若鶩、巴結逢迎，以求
利用。他們不問是非曲直，只要吃吃喝喝就能混在一
起，到處扛著「朋友」的大旗，追求實利，「合作」
帶有明顯的銅臭味。這樣的人容易得到合作者，也容
易失去合作者，容易結交也容易拆夥。畢竟「友誼」
建立在權勢錢財和杯盤酒肉之上，是極端自私、虛

偽，帶有極大的欺騙性和危害性，相對就難以長久。

誰都不願意與小人打交道，可是不管是誰都不可避免地會碰到。因為那些圍繞在你我身邊的卑鄙小人，眼睛總是牢牢地盯著我們周圍大大小小的利益，隨時準備多撈一份，甚至不惜一切代價，準備用各種手段來算計，不僅令人防不勝防，說不定什麼時候還會在背後捅你一刀。

▶ 寧得罪君子勿得罪小人

小人最懂得琢磨，敢於為極小的恩怨付出一切代價，因此如何與小人打交道，還真得有一套應對之策。那麼該怎麼辦呢？

我認為：如果你不想把自己降低到與小人同等的地步，也不想與他們兩敗俱傷的話，那就睜隻眼閉隻眼，打死都不要理他；或者惹不起就躲避他，儘量不與小人發生正面衝突。總歸一句話，如果不是非有必要，那就別得罪小人。

為大唐中興立下赫赫戰功的名將郭子儀，不僅在

戰場上戰無不勝攻無不克，在待人處世中，還是一個
特別善於對付小人的高手。細看郭子儀與小人打交道
的祕訣，就是「**寧得罪君子，不得罪小人。**」

「安史之亂」平定後，功高權重的郭子儀並不居功
自傲，為防小人嫉妒，他反而比原來更加小心。有一
次，郭子儀生病在家休養，盧杞前來探病。盧杞乃當
朝聲名狼藉的奸詐小人，不僅生就一副鐵青臉，而且
相貌奇醜，鼻子扁平，鼻孔朝天，眼睛小得出奇，一
般人看到他都不免掩口失笑。

當郭子儀聽到門僕報告時，立即吩咐所有人避到
一旁不要露面，由他獨自等待。等盧杞走後，眾人問
郭子儀：「之前許多官員來探病，您從來不讓我們迴
避，為什麼此人前來就要我們都躲起來呢？」郭子儀
微笑著說：「你們有所不知，盧杞這個人相貌醜陋而
內心又十分陰險。萬一你們看到他忍不住失聲發笑，
那麼他一定會心存忌恨。一旦此人掌權，那我們就要
遭殃了。」

因為郭子儀太瞭解盧杞為人，所以在與他打交道

時十分小心謹慎。後來，盧杞當了宰相，果然極盡報
復能事，把以前得罪過他的人都陷害了。唯獨較尊重
郭子儀，沒敢動他一根寒毛。這件事充分反映了郭子
儀對待小人是既周密又老練。

就因為「小人」隨處可見，而且常常是團體紛擾
之所在，所以他們的造謠生事、挑撥離間、興風作浪
都很讓人討厭。有些人對他們不但敬而遠之，甚至還
有抱著仇視的態度。不過，仇視小人固然足以顯出你
的正義，卻不是明智之舉，反而會凸顯了你的不切實
際，因為你的「正義」公然暴露他們的卑鄙無恥。再
壞的人也不願意被人認為自己很「壞」，所以再怎麼
樣他們總會披件偽善的外衣，而你偏要以正義之手，
揭開他們的面紗，讓他們露出原形，這不是故意和他
們過不去嗎？

君子不怕傳言，因為他們問心無愧。但小人看你
暴露他們的真面目，為了自保掩飾，肯定會對你打擊
報復。也許你不怕他們反擊，也許他們奈何不了你；
但要知道，小人之所以為小人，便是因為他們始終在
暗處，用的始終是不法手段，而且不會善罷甘休。別

說你不怕他們的攻擊，看看歷史的血跡吧，有幾個忠臣能抵擋奸臣的陷害？

　　老祖宗留下這句「寧得罪君子，不得罪小人」，可謂是待人處世中與小人打交道的至理名言。35歲前請讓自己有點心機，與小人打交道請務必考慮周全，千萬不要跟他們一般見識，最好不要與其發生正面衝突，也不要刻意揭露他們的面目。論實力，小人或許並不強大，但他們往往不擇手段，什麼下三濫招數都可能會使出來。一旦發生衝突，縱使你贏了他，也會付出相當代價，惹來一身腥。俗話說「新鞋不踩臭狗屎」，所以還是保持點距離，躲為上策。

◉ 心機使生存得保障

　　一點心機不僅僅在與人交往中應該保有，在漫長人生旅途中對於自我也應保有。有時候，渾渾噩噩的狀況會使人喪失許多原本屬於自己的東西。對世界上的事物睜隻眼閉隻眼，不留心觀察也不深刻剖析，最終只能是糊塗一生。要從生活和現實中汲取力量和智慧，這樣的心機正是命運給予的餽贈。

人們經常討論關於人生的話題，其實說一千道一萬，對人們來說，最重要的是生存權利，沒有生存權一切都無從談起。心機的存在便是生存權得到保障的必然，說起來可能會覺得誇大其辭，但仔細想想也不為過分。因為只有有心機的人，才能在各式各樣的危險和威脅中善存自己，使自己得以保全，不受傷害。

古時，有個皇帝特別喜歡算命，他甚至聘請了一位算命師待在皇宮裡。有次，算命師卜出宮中會有妃子在 8 天之內死亡，結果預言真的實現，讓皇帝嚇壞了。皇帝心想，要不是算命師謀殺了妃子，就是他算得太準。

算命師的卜算能力威脅到皇帝，所以不管哪種情況，算命師都得死。他決定事先叫侍衛埋伏，然後召見算命師，一旦做出摔杯子的暗號，侍衛們就馬上衝出來抓住算命師，再推他去斬首。

終於算命師進大殿了，在發出暗號前，皇帝想再看看算命師到底有多大的本事，是否也能預知自己的未來，便問算命師：「你聲稱會算命，而且清楚別人

的命運，那麼請告訴我，你自己的命運如何，能夠活多久呢？」

算命師聽後暗吃一驚，心想皇帝怎麼突然問這種問題。再看看皇帝，察覺到皇帝嘴角的那抹微笑。頓時心中有了計較，便從容地回答：「陛下，依我的推算，我會在您駕崩前 3 天去世。」

聽到這裡，皇帝只好緊握著酒杯，不發暗號了。算命師的性命總算是保住，不僅如此，皇帝還慷慨地給他豐厚的賞賜，並派御醫照顧他的健康，就怕算命師一不小心英年早逝，連累到自己。最後，算命師甚至比皇帝還多活了好幾年。

有時候，**為了生存我們不得不保有心機。而能保有心機又心懷坦蕩才堪稱智慧的人。**

心機是輔助我們贏得美滿人生和生活的手段，它讓我們免受傷害，這樣的心機也是不可或缺的。

心機是謀略的一部分，善於謀劃的人大都是有心機的人，但千萬不要以為有心機就要算計別人，更多

的時候，心機只是為了自己的生存。心機是智慧的流露，也是自保的象徵，沒有心機的人會受到來自外界和自己的不同傷害。人生在於謀劃，心機也可確保謀劃得以成功，只有這樣，人生才不會不虛度，才會有所作為。

所以在 35 歲前，讓自己保有一點心機吧！有智慧的人，心機不可少，也不可多，就要那麼一點點。

第一部　左右人格的特質

04 別讓毒舌毀了你

有些人就是喜歡毒舌挖苦人，或習慣潑人冷水，卻不知道「冷水是會傷人，不能亂潑的」！或許有的人會認為，不過就是開開玩笑罷了，何必當真？但如果玩笑開得太過火，那就變成戲謔或嘲諷，聽者可能就會感到很不舒服！因此，我們得想想，嘴巴是不是也該消消毒，把自己的嘴巴品管一下，不要隨意潑冷水或挖苦毒舌，免得傷到別人或得罪別人而不自知。

生活中總有一些人，得理不饒人，就算無理也要爭三分，總怕自己會吃虧；與之相反的，還有一些人，真理在握也會讓人三分，顯得卓約柔順，頗有君子風度。

前者，往往是生活中的不安定因素，後者則具有一種天然的向心力；一個活得嘰嘰喳喳，一個活得自

然瀟灑。

假如事關重大或是對錯相當明顯的問題,自然應該不失原則地分個青紅皂白,甚至為追求真理而挺身而出。但日常生活中,也包括工作上,人往往會因為一些自以為是的原則問題,或是雞毛蒜皮的小事爭得面紅耳赤,誰也不肯甘拜下風,非要對方認輸才肯罷休。結果往往嚴重到大打出手,鬧到不歡而散、雞飛狗跳的結局。

或許有人會說,年輕人難免血氣方剛,只要內心稍受委曲,必定會據理力爭,但是一旦步入 35 歲以後,無論在工作、生活都應該趨向穩定,這時候的言行舉止便需要比之前更加成熟穩重,更該**學會「聆聽的藝術」**。

爭強好勝者未必掌握真理,而謙下的人,原本就把出人頭地看得很淡,更不用說一點小是小非的爭論了。**越是有理,越表現得謙下,往往越能顯示出一個人的胸襟坦蕩、修養深厚。**

▶ 身居高位更要寬厚

在現今的社會，如果你身為上司，當你絞盡腦
汁、用心良苦地教導屬下工作時，對方若表現出一付
不認同的態度，你是否會氣憤地想教訓他一頓？萬一
對方還不服氣你的做法，那麼只會使對方更加產生反
感罷了。

一般而言，當人們有所爭執時，由於滿腔憤怒，
所以往往會出言不遜，爭得面紅耳赤。當下屬受到上
司的責罵時，心裡可能會不斷嘀咕：「又不是什麼大
問題，何必這麼煩人嘛！」甚至為了避免自尊心受到
傷害，他還會想方設法地自圓其說。如此一來，再多
說什麼也是無益的。

東漢的劉寬為人十分仁慈寬厚，在擔任南陽太守
時，即使小吏百姓做錯事，他也只是用蒲鞭責打以示
懲罰而已。他的夫人為了試探丈夫是否像外界所說的
那樣仁厚，便命婢女在捧肉湯時，裝做不小心把肉湯
潑在他的官服上，結果劉寬不僅沒發脾氣，反而還問

婢女：「肉湯有沒有燙了你的手？」

也曾經有路人攔下劉寬的車子，硬說駕車的馬是他的。劉寬也沒說什麼，就叫僕人把馬解下來給那個路人，自己再走路回家。後來，那人找到自己的馬，便不好意思地把馬送還給劉寬，並且向他道歉，結果劉寬反而還安慰路人叫他不要介意。像劉寬這樣位居高官，還有這樣的君子雅量，有禮也讓人三分，真可為世人之典範。

◉ 「冷水」是會傷人的

然而，現在許多媒體節目為了拼收視率，紛紛上演「殘酷舞台」、「麻辣話題」等戲碼來吸引收視觀眾，主持人的直接毒舌批評，蔚為潮流，好像說話不夠狠不夠直接，你就遜掉了，這種流行趨勢對於凡事應該以和為貴的社會傳統來說，明顯是一個挑戰。

有種人，其實根本沒什麼惡意，但只因為心直口快，喜歡潑別人「冷水」，以致讓一個原本好心好意、興致勃勃的人，被冷水澆得十分心寒，也讓彼此

的關係破滅。

　　相信在你我身旁，絕對常常上演這樣的場面——

　　男孩好不容易利用打工的薪水，買了大貓咪玩偶，想送給女友當生日禮物。見面時，男孩用興奮的口吻問女友：「妳猜，我買了什麼禮物送給你？」

　　「拜託，你又沒什麼錢，幹嘛要拿你爸媽的錢買禮物給我？」女友一臉不悅地說。

　　「喂，妳不要瞧不起我，這些錢是我自己打工賺來的耶！」男友耐住性子再問：「妳猜嘛！我買了什麼禮物？」

　　「你打工賺那麼一點錢，能買什麼好禮物呢！」女友冷冷地說：「那你自己說呀，你買了什麼？」

　　「我呀，買了一個大貓咪玩偶給妳，給妳抱著睡覺！」男友興奮地說。

　　「什麼？貓咪？你有神經病啊！你不知道我最討厭貓嗎？」女孩說。

「為什麼？」男友不解地問。

「我不是告訴過你，以前我們鄉下的魚塭養了很多魚，但有些小魚，都被野貓偷吃了，所以我最痛恨那些死貓咪了，你都不記得啊？」女孩大聲嚷著。

就這樣，男女朋友相處一陣子後，因為個性不合，分手了。

有些人就是喜歡毒舌挖苦人，或習慣潑人冷水，卻不知道「**冷水是會傷人，不能亂潑的**」！或許有的人會認為，不過就是開開玩笑罷了，何必當真？但如果玩笑開得太過火，那就變成戲謔或嘲諷，聽者可能就會感到很不舒服！因此，我們得想想，嘴巴是不是也該消消毒，把自己的嘴巴品管一下，不要隨意潑冷水或挖苦毒舌，免得傷到別人或得罪別人而不自知。

▶ 辯才無礙就是口才好？

還有一種人，反應快、口才好，心思靈敏，在生活或工作中和別人有利益或意見衝突時，往往會充分發揮辯才，把對方辯得啞口無言。但是要想擁有良好

的人際關係，使自己在事業上遊刃有餘，在朋友中廣
受歡迎，在家庭中和睦相處，其實你最好永遠避免和
別人發生正面的衝突。

**永遠避免和別人正面的衝突，這種心態非常重
要**。曾有個喜歡辯論的學者，在研究辯論術，聽過無
數次辯論，並關注它們的影響之後，得出了一個結
論：**世上只有一個方法能從爭論中得到最大的利益：
那就是停止爭論。**

你最好避免爭論，因為你永遠不能從爭論中取得
勝利，如果你辯論失敗，那你當然失敗了；但是，如
果得勝了，你還是失敗了。這是因為，就算你將對方
反駁的體無完膚，一無是處，那又怎樣呢？你使對方
覺得自慚形穢、低人一等，你傷了對方的自尊，對方
是不會心悅誠服地承認你的勝利。即使對方表面上不
得不承認你勝了，但對方的心裡也會從此埋下怨恨的
種子！

著名的波音人壽保險公司便為業務員立下這樣一
條規則：「不要和客戶爭論！」的確，**真正完美、有**

效的推銷，不是靠爭論得來的，甚至不易讓人覺察的爭論也不行，因為爭論並不能讓人改變自己的自由意願。

正如充滿智慧的弗蘭克林所說：「如果你辯論、爭強，或許你會獲得勝利；但這種勝利是得不償失的，因為你永遠無法得到對方的好感。」因此，你要好好權衡一下，你想要的是什麼？只圖一時口頭的快感，還是一個人的長期好感？在你進行辯論的時候，你也許是絕對正確的。但從改變對方的思想上來說，你大概一無所獲，一如你錯了一樣。

⊙ 給自己留條後路

人有好口才不是壞事，但運用不當則會壞事。把「逞一時口舌之快」當成一種「快樂」，這是最大的悲哀。要時刻牢記：**逼人不可太甚，給自己留條後路。**為此你必須謹記：

第一，把口才用來說明事理，而不是用來戰鬥。不過，當有人攻擊你時，你當然可以適當「自衛」。

第二，**有好的口才，也必須要有相對的內涵**，否則別人會笑你全身只有舌頭最發達。

第三，**要反駁對方，保衛自己的意見時，點到為止即可**，切莫讓對方「無地自容」，換句話說，要給對方台階下。

第四，**別人得罪你時，你雖理直氣壯，但也不必把對方罵得狗血淋頭。**

第五，**若自己的觀點有錯，要勇於認錯**，並接受對方的觀點，切莫用辯論的技巧死命反擊，因為黑就是黑，白就是白，硬辯只會讓人看不起你。

第六，**不要盲目相信直覺**，當有人提出不同意見的時候，你第一個自然的反應是自衛。你要慎重，你要保持平靜，並且小心你的直覺反應，這很可能是你最薄弱的地方，而不是你最好的地方。

第七，**留有餘地**，如果得理窮追猛打，逼得對方走投無路，有可能激起對方「求生」的意志，而既然是「求生」，就有可能是「不擇手段」，這對你自己將

造成傷害。好比關老鼠在房內，不讓其逃出，為了求生，老鼠就可能會咬壞家中的器物；只要放牠一條生路，「逃命」要緊之下，老鼠便不會對你造成損害。

而且，你給對方留有一定的餘地，他也會因此而心存感激，來日自當圖報，就算不如此，也不太可能再度與你為敵，這就是人性。不留餘地，傷了對方，有時也連帶傷了他的家人，甚至毀了對方，這有失厚道。人海茫茫，但卻常「後會有期」，你今天得理不饒人或毒舌損人，那天冤家路窄，換你處於劣勢，就有可能吃虧，給別人留有餘地，也是為自己留後路啊！

35 歲以前，你的一言一行都將深深影響日後的一切，要記得**與其樹立敵人不如結交朋友，謹言慎行尤其重要**！

第二部
決定人生的價值

態度不僅決定你的事業高度，

也會決定你的人生價值。

身為嚴長壽子弟兵的蘇國垚，

即使頂著美國餐飲學士的光環，

仍願意從洗馬桶的工作開始做起。

就是這樣的態度，

讓他後來成為台北亞都麗緻飯店最年輕的總經理。

心若改變，態度就會改變；

態度改變，習慣就會改變；

習慣改變，人生就會改變。

第二部　決定人生的價值

05 珍惜人生旅途中的重要過客

你會捨近求遠，忽略身邊的一切嗎？當你瞇起眼睛眺望遠方企圖尋找更虛幻的晴空時，是否忘了仰首就能望見萬里無雲的好天氣……日常生活的一點一滴都蘊藏著快樂，尋找的時候，可別忘了自己的身邊哦。

　　你是不是個交遊滿天下的人呢？你是不是中了一句話「多個朋友多條路。」的餘毒呢？你是否會在繁忙的工作下班後，又撐著疲累的身軀參加一個個飯局應酬，假日還得參加不知所謂的聚會，就怕錯過認識大人物的機會？如果答案是「是」，那你已經陷入複雜的人際關係泥沼中了。

　　有個調查報告說，**人一生真正所「認識」的人不會超過 100 個**。這裡所指的認識是，你一見到他的面

就能說出名字，還對其基本情況和喜好稍有瞭解。相信你自己算算，一定心中有數吧！魯迅曾說，人生得一知己足矣。可見得**朋友之道在於精，而不在於多。**所以如果一些無啥要緊的人對你不友善，你也不必放在心上，畢竟這不會影響到你的生活。

天天和你接觸的，其實不過就是你身邊的少數幾個人，家人或工作時的上司同事。而就是他們將影響你 90%以上的生活過得是否快樂，所以請好好珍惜他們，與他們保持良好的關係。

▶ 越近在眼前越看不到

可惜人總是因為週遭的人事物，距離接近、容易得到，反而不自覺地忽略漠視。曾經在網路上看到這樣一則故事：

有個樵夫，每天都會上山砍材，日復一日，過著平凡的日子。

有一天，樵夫跟平常一樣上山砍材，在路上撿到一隻受傷的銀鳥，銀鳥全身包裹著閃閃發光的銀色羽

毛，樵夫欣喜地說：「啊！我一輩子都沒看過這麼漂亮的鳥！」於是就把銀鳥帶回家，專心替牠療傷。在療傷的日子裡，銀鳥每天都唱歌給樵夫聽，讓他過著快樂的日子。

後來，鄰人看到樵夫的銀鳥，便告訴樵夫，他看過金鳥，金鳥不僅比銀鳥漂亮上千倍，而且歌也唱得比銀鳥更好聽。樵夫想著，原來還有金鳥啊！從此他便每天只想著金鳥，不再仔細聆聽銀鳥清脆的歌聲，日子也越來越不快樂了。

樵夫又坐在門外，望著金黃的夕陽，想著金鳥到底有多美了。此時，銀鳥的傷口康復，準備離去。

銀鳥飛到樵夫的身旁，最後一次唱歌給他聽。樵夫聽完，只是很感慨地說：「你的歌聲雖然好聽，但是比不上金鳥；你的羽毛雖然很漂亮，但是比不上金鳥的美麗。」

銀鳥的歌終究還是唱完了，在樵夫身旁繞了三圈告別，便向金黃的夕陽飛去。樵夫望著銀鳥，突然才發現銀鳥在夕陽的照射下，變成美麗的金鳥。他夢寐

以求的金鳥就在那裡，只是，牠已經飛走了，飛得遠
遠的，再也不會回來……

最珍貴、最重要的事物，往往就在眼前；而你不
是沒看見，只是你沒意會到罷了。你總會捨近求遠，
忽略身邊的一切；當你瞇起了眼睛眺望遠方，企圖尋
找更虛幻的晴空時，卻忘了仰首就能望見萬里無雲的
好天氣。

人孑然一身來到這世界，又孑然一身地離開這個
世界，生命或許只是一場空，但你也必須讓它空得充
實。圍繞在你身邊的那少數幾個人，就會是充實你生
命的重要過客。但是人常常在不知不覺之中成了樵
夫，自己卻不知道，不知道原來金鳥就在自己身邊。
珍惜他們吧！家人、老友、同事、長輩……，因為他
們和你之間的情感，將會是你生命中的無形資產。

▶ 一切都不是理所當然

生活中，有多少人在追求鏡中水月的美好，卻忽
略身邊最樸實、最值得珍惜的東西？他們往往認為一

切都是理所當然，總要等到失去後，才驀然回首，後悔已晚。

上了一天班回到家裡，丈夫粗聲粗氣地吆喝：「飯煮好了沒？我要餓死了。」但是對妻子的忙碌辛苦卻視而不見。

有一天，丈夫帶未婚獨居的同事回家，同事一進門，老婆接過兩人的公事包和外套後，丈夫還是那句老話：「飯煮好了沒？」同事卻說：「大嫂，對不起，麻煩你了。」

看到一桌熱騰騰的飯菜，同事感動地差點掉下淚來：「一回家就有熱飯熱菜可吃的感覺真好！哪像我，每天回家都只有冰冷的牆壁迎接。」然後埋頭拼命吃菜，彷彿一輩子都沒吃過飯似的；更對老婆的手藝讚不絕口，一盤簡單的炒青菜都被他說得像是山珍海味。

老婆眉開眼笑，不斷地夾菜給同事：「請用！」老公反而被冷落在一邊。

　　吃完飯，老公照慣例拍拍屁股，想到客廳看電視、聊聊天，正要開口叫老婆倒茶。

　　不識好歹的同事竟開始幫忙收拾碗筷，還不忘跟老婆道謝：「大嫂，謝謝你費心做這麼豐盛的晚餐請我，這些碗盤我來洗就好。」老婆當然不會讓客人洗碗啦。

　　丈夫說：「泡茶。」雞婆的同事居然說：「大嫂，你告訴我茶葉在哪裡，我自己來就好。」

　　同事走了之後，老婆一邊洗澡一邊唱歌。丈夫問：「你為什麼那麼高興？」

　　老婆說：「我煮了十幾年的菜給你吃，你從來也沒有跟我說一聲謝謝。吃完飯不但不幫忙洗碗，還要我泡茶侍候你。你看看你那個同事多懂事。」

　　「因為他第一次來我們家啊，因為他不認識你啊，才跟你裝客氣，你等著看好了，看他結婚之後，會不會跟他老婆說謝謝。」

　　35歲的你，應該大部分都已經成家了吧，會不會

覺得上面的故事似曾相識呢？周遭的朋友有時會跟我抱怨，夫妻的相處彷彿缺少了一些東西，我想就是因為他們把一切都視為理所當然，所以反而忽略了人與人之間最基本的禮貌和感謝。

老婆為什麼一定要煮飯？那是她的工作、她份內的事嗎？其實是因為她愛你。

丈夫為什麼要辛苦工作，就算受到老闆指責、剝削仍不敢辭職？也是因為他愛你。

▶ 愛不是理所當然，愛是得來不易

有人說，女人最傻，只要一句讚美、一句感謝，她就會無怨無悔地為你做牛做馬。

其實男人也是。只要在他回家的時候，放好熱水，接過他沉重的公事包，跟他說聲：老公你辛苦，相信他上起班來也會更加起勁。

日本作家市川拓司在小說《現在，很想見你》裡提到：所有的相遇都是為了某種原因理由，以佛家的

說法就是「緣」。所以記得好好珍惜身邊的人，並善待每次相遇，與身邊的每個人。

珍惜身邊的每個人、每件事、每樣東西，珍惜你所擁有的一切，必能帶來一份滿足的快樂，一份如花的心情。人如果不懂得珍惜，終其一生，都會苦於追逐而疲於奔命。

珍惜血濃於水的親情吧！

不要因為一句氣話、一件無心的過錯而耿耿於懷。畢竟無論何時何地，親情總在最需要的時候，默默地關懷你，無私地為你付出！

珍惜維繫不易的友情吧！

世界之大，能成為知己，也是一種緣份。友誼就像溪水的流動，不曾乾涸，只要你肯俯身汲取，便得滋潤。

珍惜久遠流傳的愛情吧！

十年修得同船渡，百年修得共枕眠。你的另一

半，可能不夠帥，不夠美，不夠高，身材不夠好，不夠有錢，沒有太多時間陪你，或未達到你心裡那個完美情人的標準……愛的路上也許崎嶇坎坷，但只要懂得相依相偎、生死相攜，就能獲得執子之手，與子偕老的幸福。

所以在 35 歲前就學會好好珍惜你生命中的重要過客吧！把眼前本分確實地做好，才有條件繼續追求更多、更高遠的人生目標。

06 付出就不要想回報

付 出的，並不一定都會得到回報；但不付出，是
絕對沒有回報。

　　還記得電影《把愛傳出去》裡的崔佛嗎？原本只
是老師突發奇想的習作，讓 12 歲男孩崔佛有了特別的
創想：自己向 3 個人行善付出，不求回報，只願『讓
愛傳出去』。每個人再幫助另外 3 個人，就有 9 個人得
到幫助，以此類推，總共就有 27 個人得到幫助，然後
接受幫助的數目變得越來越大……

　　**有些愛，就是這樣只能想不能說；有些情，只能
付出不能回收。**但是人偏偏就是無法看清這點，再怎
麼豁達大度的人，即使在要求回報的天平上一再退
讓，他仍會要求一點點、最卑微的回報。

▶ 付出未必有回報

在你平常接觸的人，或相交深厚的朋友中，相信
一定有些人總讓你如沐春風，歡喜親近，有的人則令
你望而生畏，不敢恭維，甚至永遠不想再見面。人，
總會希望帶給別人懷念，而不要給人懷恨。所以要想
留給人好的印象，就不得不注意平時待人的態度。

星雲大師曾說過「待人四不」，其中就有提到「慈
悲關愛，不望回報」：任何讚美、恭維，都不及在苦
難時得到別人的關懷，因此做人要不吝將慈悲、關懷
給人。但所謂「施人之恩，不發之於言；受人之惠，
不忘之於心。」當別人有恩於我，雖受一分的恩惠，
也要回報百分的心意；反之，如果我曾對人付出一點
點的關懷，不但不圖回報，甚至不足掛懷。一個施恩
望報的人，難免給人沽名釣譽之嫌；能夠對人付出關
愛而不望回報，才是真正的慈悲。

所以，**既然付出就要真心付出，不要附加什麼條
件。付出後，也不要太過苛求回報，因為不是所有
的付出都一定會有回報。**

在中國，乞丐還是很常見的。在我鄉下的老家，有位土地主（就是台灣的「田橋仔」）十分有錢，卻得不到旁人的尊重，為此他苦惱不已，每日就想著該怎樣才能得到眾人的敬仰。

某天他在街上散步時，看到街邊有個衣衫襤褸的乞丐，不禁心想，機會總算來了，便在乞丐的破碗中丟下一張百元大鈔。

誰知乞丐頭也不抬，仍忙著捉蝨子，大地主不由得生氣：「你眼睛瞎了啊？沒看到我給你的是一百元嗎？」

乞丐仍是不看他一眼，答道：「給不給是你的事，不高興可以拿回去。」

這個土地主大怒，便意氣用事起來，又丟了一疊鈔票在乞丐的碗中，心想這次他一定會恭敬地向自己道謝。不料乞丐仍是不理不睬。

土地主幾乎跳起來地怒道：「看清楚我可是給了你一疊鈔票，像我這樣的有錢人，好歹你也尊重我一

下，難道你連道謝都不會？」

只見乞丐懶洋洋地回答：「有錢是你的事，尊不尊重你則是我的事，這是強求不來的。」

土地主開始急了：「那麼，我將財產的一半送給你，這樣能不能讓你尊重我呢？」

乞丐翻了翻白眼看他：「你給了我一半財產，那我不是和你一樣有錢了嗎？為什麼我還要尊重你。」

土地主更急起來道：「好，我將所有的財產都給你，這下你總願意尊重我了吧？」

誰知這時乞丐大笑：「你將財產都給了我，那你就成了乞丐，而我成了富翁，我憑什麼尊重你。」

沒想到這土地主苦苦尋覓別人對他的尊重，本以為對乞丐的善舉會讓乞丐向他磕頭道謝。但結果卻大大出人意料，乞丐對他理都不理。他本以為加大施捨會換得乞丐的尊重，殊不知乞丐還是那樣；他一次次的提高施捨尺度，但最終都被乞丐駁了回來，想要贏得尊重的願望也一次次地落空。

所以，35 歲前的你要認清，**付出，並不一定都會得到回報；但不付出，卻是絕對沒有回報。**

▶ 家不是講回報的地方

我想大概只有寵物可以承受單方面的付出，不求回報吧！或許有人會反駁說，愛就可以付出，不求回報。但事實真的是如此嗎？你對喜歡的人付出時間、情感；媽媽對小孩付出關心照料……當下或許都沒想到要得到什麼，但其實在潛意識裡，應該還是渴望能得到回報，哪怕是只有一點點也好。

最明顯的表現就在於，原諒敵人往往會比原諒朋友容易。因為，你從來不會對敵人付出感情，但是對朋友、親人，你也許付出了最真摯的情感；如果得不到回報，反而被出賣、背叛，便有著被欺騙的傷痛和悲哀。

人生就是有許多不可思議的地方，看似弔詭，其實透著玄機。越是親密的人，往往互相傷害；愈是自己的親人，反而彼此傷害最深，那些看輕你的人、傷

害你的人，可能就是你身邊最親近的人。同樣的，在
家中你往往就因為有所付出，但得不到相對的回報，
而使得家庭失和。

家不是一個講理、講回報的地方，聽起來很沒有
道理，但它是千真萬確的。這句話是真理、至理，是
多少夫婦、多少家庭，用多少歲月、多少辛酸、多少
愛恨、多少是非、多少對錯，在糾纏不清、難解難分
的混亂中，梳理出來的一個結論。

當老公在外努力打拼，老婆卻沒有熱湯熱菜回報
時；當媽媽為家庭付出打掃整理，子女卻沒有相對好
好用功回報時……家中便開始布上陰影。雙方便會不
自覺地各抱一堆歪理，敵視對方、傷害對方，最後只
能兩敗俱傷，難以收拾。多少人為了付出與回報，落
得家庭失和。就是因為他們忽略了，家不是個講理、
講回報的地方。

那麼付出真的就沒有回報嗎？《把愛傳出去》中
崔佛在調解同學糾紛的拉扯間，意外被刀刺死了，但
最後他的死，卻呼應了讓愛傳出去的信念。當訊息在

媒體上傳開，在崔佛家門前，擠滿了為崔佛祈福的人潮，大家開始人手一隻白蠟燭……。

白蠟燭象徵著「愛」，當眾人一個個為旁人接續著點起蠟燭，就象徵著把愛傳出去了。所以，雖然付出不求回報，但最終還是有回報……。

第二部　決定人生的價值

07 不要輕信眼睛所看到的表象

懷疑猜忌是人際交往的障礙和大忌，更是造成現代家庭夫妻失和的主要因素。……我們要先認定眼前所見到的未必都是正確，摒棄自己對家人的猜疑心，才能對外展開正常、健康的交往。

人與人之間相處時，多多少少都會產生誤會。然而當發生誤會時，大多數人都只願意相信自己的眼睛和耳朵。但我們常忽略的一點是，有時候對我們最為忠誠的眼睛和耳朵也會犯錯，它們會向我們傳遞出一些不真實的資訊。就因為我們太過相信了，以至於自己成了「誤會」的始作俑者。

生活中，很多人都養成了習慣，不斷在以懷疑猜忌的眼光審視身邊的人，哪怕是那些和自己一點關係

也沒有的陌生人，也會懷疑自己是否受到那些陌生人
的「挑釁和侮辱」。

▶ 凡事用三個篩子過濾

蘇格拉底是古希臘的大哲學家，對待流言耳語，
他曾自創三個篩子理論：

某次，學生匆忙地跑來找蘇格拉底，邊喘氣邊興
奮地說：「老師，告訴您一件絕對想像不到的事，外
面的人說……」

「等一下！」蘇格拉底毫不留情地制止，「你要告
訴我的話，用三個篩子過濾過了嗎？」

學生不解地搖了搖頭。

蘇格拉底繼續說：「當你要告訴別人一件事時，
至少要用三個篩子過濾一遍！第一個篩子是真實，你
要告訴我的事是真實的嗎？」

「我是從街上聽來的，大家都這麼說，我也不知道
是不是真的。」學生道。

「那就應該用第二個篩子去檢查，如果不是真的，
至少也應該是善意的，你要告訴我的是善意的嗎？」

「不，正好相反。」學生羞愧地低下頭來。

蘇格拉底不厭煩地繼續說：「那麼我們再用第三
個篩子檢查，你這麼急著要告訴我的事，是很重要的
事嗎？」

「並不是很重要……」學生心虛地說。

這時，蘇格拉底打斷他的話：「既然這個消息並
不重要，又不是出於善意，更不知它是真是假，你又
何必說呢？說了也只會造成我們兩人的困擾罷了。」

蘇格拉底就是這樣藉由三個篩子，**不輕信任何未
經證實的人事物，既不做始作俑者，也不受人利用
成為是非的傳播者**。所以，當發現誤會時，還是仔細
判斷一下自己的所見所聞，因為有時候自己的眼睛和
耳朵也會騙了你。

家人之間就更容易造成這種誤會，因為我們和家
人朝夕相處，往往自認為十分了解彼此。只要看到絲

毫和平常不一樣的地方,便自以為是地認為對方有對
不起自己的地方,衝動做出超乎尋常的行為。只有等
到瞭解真相之後,才發現自己的行為並不適當,但大
多時候即使後悔也為時已晚,只能徒留懊悔!

⊙ 眼前所見未必正確

有對夫妻,兩人平日的感情還算不錯,只是彼此
都很糊塗,心胸也很狹窄,常為了小事而爭吵不休。

某天,妻子外出,丈夫只好自己在外吃飯,喝了
點酒。回家後,雖然有點醉意,但又覺得沒喝過癮,
於是就拿著酒壺到酒缸取酒。誰知探頭朝缸裡一瞧,
丈夫看見酒缸倒映出一個男人身影。他認為是妻子不
貞,把男人帶回家藏在缸裡。這時,妻子剛好返家,
丈夫就對著她大罵偷漢子。

被罵得糊里糊塗的妻子,趕緊往缸裡一瞧,結果
看見缸裡有個女人,便認為是丈夫帶女人回家,怕被
發現,才暗地把她藏在酒缸裡,便也不明就理地罵了
起來。

丈夫聽後，又探頭往缸裡看，卻還是先前那個男人，以為是妻子故意戲弄他，不由得勃然大怒，舉起手中的酒壺朝妻子扔去。見丈夫出手打自己，妻子也不甘示弱，側身閃開後，還以一記響亮的耳光。

這下子兩人打成一團，又扯又咬，鬧得不可開交，左鄰右舍紛紛過來關心。終於村裡德高望重的白鬍子爺爺來了，聽完夫妻兩人自白，心裡頓時明白了大半。他吩咐旁人取來鐵錘，朝酒缸砸去，只見那酒汩汩地流了滿地，就是不見半個人的影子。夫妻兩人才明白看到的是自己的影子。頓時又羞又慚，丈夫的酒醒了，妻子也靜了下來。兩人終於互相道歉，和好如初。

懷疑與猜忌是人際交往的障礙和大忌，更是造成現代家庭夫妻失和的主要因素。35 歲正是家庭趨於穩定，在職場開始好好打拼的時間點，所以我們要在這之前，**先認定眼前所見到的未必都是正確**，摒棄自己對家人的猜疑心，才能對外展開正常、健康的人際交往。

想要摒棄對家人的猜疑，首先要學會冷靜思考

當發現自己開始懷疑家人，應當立即尋找產生懷疑的原因，在還沒有形成思維之前，就先搜集正反兩方面的資訊。生活中許多的猜疑，說穿了往往非常可笑。但在說穿之前，由於我們的頭腦被封閉性思路主宰，反而會覺得猜疑順理成章。此時，冷靜思考便十分必要。

其次要學會自我暗示

當我們猜疑家人看不起我們，在背後說我們壞話，對我們說謊的時候，記得在心中不斷地反覆默念「我和他是好兄弟」、「他不會看不起我」、「他不會說我壞話」、「我不該猜疑他」、「猜疑是有害的」、「我討厭猜疑」等等。如此反覆多次默念就能克服多疑的毛病。

還要學會及時溝通

世界上沒有一個人敢說，他不會被誤會。關鍵在

於他有沒有消除誤會的能力與方法。如果誤會得不到
盡快的解決，就容易發展成猜疑；猜疑不能及時解
決，就可能導致不幸。所以如果可能的話，最好能和
「猜疑」的對象開誠布公地談談，以便弄清真相，解
除誤會。

我們對家人生疑後，冷靜思索是很重要的，但冷
靜思索後，如果疑慮仍然存在，就該藉由適當的方
式，與被疑者好好交心。

如果是誤會就可以及時消除；若是看法不同，透
過談心，也可以瞭解對方的想法；倘若真的證實猜疑
並非無端，那麼透過平心靜氣地討論，也可以將事情
解決於衝突之前。

再來就是培養自信心

每個人都應該看到自己的長處，培養自信心，相
信自己會與周圍處理好人際關係，會給家人留下良好
印象。唯有如此，當我們充滿信心地面對工作、家庭
和生活時，就不用擔心自己的行為，也不會隨便懷疑

別人是否會挑剔、為難自己了。

最後就是要學會自我安慰

　　人難免會遭到別人的非議與流言攻擊，與家人產生誤會，也沒什麼值得大驚小怪的。在生活細節上不必斤斤計較，可以糊塗些，這樣就可以避免煩惱。如果覺得家人懷疑自己，應當安慰自己不必為別人的閒言閒語影響，不要在意別人的議論，這樣不僅解脫自己，還能取得一次小小的精神勝利，懷疑自然也就煙消雲散了。

　　在我們深深地厭惡身邊人的時候，是否想到，我們也許誤解了他人。多疑的病根在於自己，35 歲前的**我們遇到懷疑的事情時，千萬切記要學會冷靜，不要妄自下定論，也不宜過早下結論。**一切都要等心平氣和時，再客觀、理智地去分析，瞭解事實真相。千萬別像猜忌彼此在酒缸偷藏人的夫妻一樣，被怒氣沖昏頭，傷了彼此和氣。只有不斷地戰勝自我，才能消除心理多疑。

第二部　決定人生的價值

08 讓積極左右你的行為

—— 個人如果在任何時候都能保持快樂、積極的心
態，那麼這個人一定是生活中的強者。因為快
樂積極的態度會讓人變得堅強有力起來。

相信在這世上沒有一個人敢說他是沒有過失的。
有過失只要能下決心修正，即使不能完全改正，但仍
繼續不斷地努力下去，盡力而為，也就對得住自己的
良心了。

不用說，我們應該記取過去的經驗教訓，但決不
能總在陰影下活著。然而有的人卻總是活在過去，為
過去發生的事憂慮、追悔不已。

要知道內疚雖是對錯誤的反省，是人性中積極的

一面，但卻屬於情緒的消極一面。我們應該分清這二者之間的關係，反省之後迅速行動起來，把消極的一面變積極，讓積極的一面更積極。

▶ 積極綻放無限力量

一位智者曾經說過：要使過去的失敗具有真正積極的意義，唯一的方法，就是冷靜分析失敗的原因，吸取教訓，然後忘了過去的失敗。

積極的心態可以讓人生煥發出無限的力量。成功學大師拿破崙·希爾說：「**積極的心態就是心靈的健康和營養。這樣的心靈，能吸引財富、成功、快樂和身體的健康。**消極的心態，卻是心靈的疾病和垃圾。這樣的心靈，不僅排斥財富、成功、快樂和健康，甚至會奪走生活中已有的一切。」

積極的心態就像汽車的油門一樣，只要用力踩下去，便會產生巨大的衝力，推動我們不斷向前。積極態度的力量是驚人的，它可以使一個人有戰勝失敗的力量，也可以使一個人有足夠的信心去嘗試成功。

就是這個積極的態度分別了成功與失敗。積極能使人還未成功前就已經成功了一半;消極則會使人在事情未做之前,就已經籠罩在失敗當中。

兩個人打算到非洲內陸去推銷皮鞋。由於炎熱加上環境落後,那裡的人向來都是赤著腳。第一個人看到非洲人都打赤腳,立刻失望起來:「這些人都打赤腳,怎麼會要我的鞋?」於是便放棄努力,失敗沮喪而回。

另一個人看到非洲人打赤腳則是喜出望外:「這些人都還沒有穿皮鞋,那通通都可以成為我的顧客。」於是他便想方設法,引導非洲人購買皮鞋,最後終於發大財而歸。

根據心理學家的說法:**個人的成就有 80%取決於你的態度及個性**。面對同樣的市場,同樣打赤腳的非洲人。一個是灰心失望,不戰而敗;另一個卻是滿懷信心,大獲全勝。

這就是不同態度的力量,而**改變人生的秘密就在於首先必須改變你的態度**。林肯曾經說過:「如果一

個人決心要獲得某種幸福，他就能夠得到這種幸福。」

▶ 凡事往好處想

消極是成功的大敵，所以每一個立志有所作為的人，都應該在 35 歲前就學會時時保持一個積極快樂的態度，讓它能更有力地去迎接成功。

想要擁有積極快樂的態度，首先就要學會凡事都往好處想。事有「好」「壞」之分，尤其是當它反射到我們心靈時，由於夾雜了主觀臆斷的因素，我們心中的「好」與「壞」也就偏離了原來的真實本質。所以懂得如何樂觀面對人生的人，遇事從不會看消極的一面。

當在路上開車欲通過路口時，正好遇到紅燈，你會有怎樣的反應？是抱怨「都是前面那輛車開太慢，只差幾秒，別人都過去了，就我的車過不去。」

還是心想：「挺好的，等等綠燈亮了，我可以第一個通過路口，後面的車都得跟在我後面。」

▶ 你的人生要怎麼過

不同的想法就會導致不同的態度。

有隻狐狸，在路上閒逛時，眼前忽然出現一個葡萄園，裡面的葡萄果實累累，看起來都很可口，讓牠垂涎欲滴。

但是葡萄園的四周圍著鐵欄杆，狐狸想從欄杆縫隙鑽進園內，卻因身體太胖而鑽不過去。

於是狐狸決定減肥，讓自己瘦下來。真是皇天不負苦心人，在園外餓了三天三夜後，牠果然變苗條，順利鑽進葡萄園內。狐狸開始大快朵頤。不知吃了多久，終於心滿意足了。

但當牠想溜出園外時，卻發現自己又因為吃得太胖而鑽不出欄杆，於是只好又在園內餓了三天三夜，瘦到跟原先一樣時，才順利地鑽出園外。

重新回到外面世界的狐狸，看著園內的葡萄，不禁感嘆：空著肚子進去，又空著肚子出來，真是白忙

一場啊！

初次看到這故事的人，或許會有這樣的感觸：人孑然一身來到這世界，又孑然一身的離開這個世界，到頭來終是白忙一場！

然而這個故事跟你我的人生一樣，重點其實是在中間的部分：看看狐狸在葡萄園內吃得多麼快樂啊！**你的人生要怎麼過，全看你如何看待它。**

「即使生命是一場空，也要空得很充實；縱然人生是白忙一場，也要忙得很快樂。」

仔細想想，人生不如意的事十之八九，生命中的每一個際遇、每一件事情不可能都照著我們所設計的軌跡前進，也不可能都朝著我們所預定的方向發展，結果不可能都是十全十美的。

它時而令你開懷，時而令你鬱悶：工作好，生活就不一定好；事業好，身體又不一定好了。如果我們只是計較每一個生活中的瑕疵、缺點或煩躁，那麼就只能處在消極、煩悶的情緒中。

一個人只有**在任何時候都能保持快樂、積極的態度,那麼才是生活中的強者**。所以凡事都往好處想,就可以使人保持積極快樂的態度,更可以讓人變得堅強有力起來。

在 35 歲前趕走心中一切消極的情緒,培養積極樂觀的態度,可以讓你的人生煥發出無窮的力量,招致成功的降臨。

第三部
點燃生命的熱情

被譽為「態度之星」的凱斯‧哈瑞爾（Keith Harrell）

在其著作中指出：

要培養態度，

首先必須先找出人生「目標」

與點燃生命的「熱情」。

如果，沒有「目標」與「熱情」，

人很容易就迷失了方向，深陷於挫折中。

第三部　點燃生命的熱情

09 看見別人的優點，
學習它、擁有它

懂得從古籍、從與人相處中發現別人的長處、自己
缺乏的特質，所以松下幸之助先生無論在做人、
做事方面都是公認的成功者。信守「七分注意一個人的
長處，三分注意其短處」的原則；重長處、輕短處……
對處於完美與缺陷矛盾之中的平常人來說，實在是一個
既可啟發思想，又可指導行動的大智慧。

　　這世上沒有一個人是完美無暇的，所以「十全十
美」並不能用來衡量自己，也不應用來要求別人。但
可惜的是，通常我們都只看見別人的缺點，卻很少去
注意到別人的長處及優點。

　　俗話說：「人不可貌相」。就是要我們不能光看一
個人的缺點，而不去學會欣賞他的長處、優點。你應
該從各種的角度、觀點來去看一個人。

不管你現在是學生，還是已經在職場上工作，相信一定偶爾會認為同學或同事是你的競爭對手，是互有戒心的同行者，是對外保持一致但對內卻各懷心事的搭檔，獨獨就不是值得信賴的夥伴，不是可以推心置腹互相借鑒的知己。

▶ 求教於人，發展更廣

其實，「三人行，必有我師」，同學、同事，甚至家人都是你身邊最好的老師，也是讓你的人生變得更美好的關鍵人物，為何你就不能把他們視為「良師益友」，從他們的身上學到他們的優點呢？

35 歲前的你，如果正身處職場，要想做事少碰釘子、少失誤，最聰明的方法，就是從同事或上司的身上學招，找出他們的優點，學習它，並多參考他們的意見，因為這些往往都是他們付出代價所換來的經驗之談。**懂得求教於人，不僅可以讓你在工作的迷途中找到方向，更快地前進，還能改善你與旁人的人際關係，讓你做起事來更加輕鬆快樂。**

在人生旅途中，擁有良師益友是不可少的「必需品」。也許他並不能幫你避免讀書、做好工作、成就事業的過程中，所必須付出的代價，但他卻可以指引你如何走過這條路。

就像一個出色的導遊不僅能夠指出無數條通往同一目的地的道路，還能幫你找出最佳路徑；雖然他不能代替你跨過河流，卻能告訴你哪些石頭可以讓你好好踏腳，幫助你不至於落水、安全渡河。

▶ 尋找你的良師益友

如果你已經做為一個企業經理人，那更要看見別人的優點，不要只想著找尋十全十美的人才，而是要能發現並運用每個人的優點。

「集合眾智，無往不利」，堪稱是日本經營之神松下幸之助先生窮七十餘年功力而悟出的至理名言。在企業中，最重要的就是挖掘人才，利用人才。因為一個人的才幹再高，也是有限的，且往往只是長於某一方面的偏才。而將眾才為我所用，**將眾多偏才融為一**

體，就能組成無所不能的全才，發揮出無限巨大的力
量。松下幸之助先生便是將此用人之道發揮到極致的
高超藝術家。

綜觀松下幸之助先生的言行，可以精闢地概括如
何在完美與缺陷間尋求平衡，傳授給我們要學會正視
人生、正視他人的大學問。

他說，**虛心欣賞別人長處，比批評別人短處，更
容易使人成功**。當他還處於學徒的時代，很少有自己
的時間，一大早就要勤奮地工作，直到晚上，工作雖
然在 8 點鐘結束，可是仍要留在店裡照料到 10 點才能
就寢，這短短的兩個小時，他就會用來看些記述古時
歷史人物的書籍。

⊙ 看人長處，學人長處

如織田信長、豐臣秀吉、德川家康等人的故事，
都讓那時的他讀來很感興趣。在他的理解中，這三人
的特質大致是這樣：信長是藩主，秀吉是家臣。信長
是個勇猛果敢的人，為人暴躁、獨斷，不易採納別人

的意見，甚至有時十分粗暴、剛愎自用。可是信長的
這些特性卻引起秀吉共鳴，看在秀吉的眼中，他認為
信長是活躍、能幹、很了不起的人。

　而同樣是信長家臣的明智光秀，對信長的看法就
不一樣。他的地位與秀吉相當，但光秀是思考非常細
密的人，也比較神經質。他認為信長雖然是了不起的
人，但仍有很多如粗暴、任性等等的缺點。因此，光
秀就勸信長：「你的勇敢、果斷，將使你取得天下，
但如果能修養品德，改掉暴躁的脾氣，一定更能服天
下之眾。」信長當然不悅光秀的批評，他怒道：「你
太囉嗦了，不必教訓我，你有今日的地位是誰給你的
呢？不知好歹的傢伙。」

　另一方面，秀吉因為能欣賞信長，所以他打從心
底就很佩服信長，他說：「因為你的勇猛、能幹，使
你取得天下，我真佩服你、崇拜你。」

　秀吉和光秀二人的差異就在這裡，秀吉看到信長
的長處而忽視他的短處，而光秀雖是精通文武的賢
者，可是他卻喜歡指責別人的短處。以信長的立場來

說，他認為秀吉知道他的長處，瞭解他，是個知己，所以感到高興；反過來，光秀一直指責他的缺點，自然他會在心中嘀咕：「這個傢伙真討厭。」也就漸漸疏遠他，終於引發二人間的衝突。

人要在世界上立足，性格上只會指責他人短處的人確實不少，可是最好還是儘量發現別人的長處。同樣的看人或批評人，也有二種不同情況，有人專看別人長處，有人專挑別人缺點，秀吉就是屬於前面一類，而光秀則屬後面。在實際生活中，這兩種看法便會產生很大的差別。

在人與人之間的交往，有人只看到朋友的缺點而討厭他；有人則是注意朋友的長處，認為這就是他偉大的地方，而漸對友人產生好感。當然誠心誠意提出建言，要朋友改進缺點，也有其必要，但是如果老是只想改正對方的缺點，終究會失敗。

所以，35 歲前的你在人際關係的處理，無論是主管、長輩，或者是站在部屬、晚輩的立場，最好還是學會儘量注意，敬重別人的長處。否則如果只見他人

的短處，即使是誠心誠意地想要改正他，結果還是招致失敗的機率大些，我想只要比較秀吉與光秀這兩人的例子，應該就會很容易瞭解其中的道理。

因為懂得從古籍、從與人相處中發現別人的長處、自己缺乏的特質，所以松下先生無論在做人、做事方面都是公認的成功者。他信守「**七分注意一個人的長處，三分注意其短處**」的原則；重長處、輕短處，於人於事都力求在完美與缺陷之中找到平衡，堪稱是松下先生的成功經驗。對我們大多處於完美與缺陷矛盾之中的平常人來說，這實在是一個既可啟發思想，又可指導行動的大智慧。

10 不爽和憤怒
別發洩在旁人身上

有人問達賴喇嘛應如何處理憤怒，他的回答是：「不要壓抑，但也不要衝動行事。」的確，不論對事還是對人，諒解的心才是最佳的滅火劑。

　　不論在學校還是在職場，只要受到一些委屈或不平時，我們往往都會臭著一張臉或是垮著一張臉回家，這個時候如果有哪個不識相的家人跟我們說話，相信最常發生的一件事，就是會把肚子裡所有的怨氣都往那個人身上發。哪怕家人當時只是對我們關心的問候，但對心中正不爽的我們而言，那些關懷都是十分多餘的。

　　面對自己的家人時，我們往往最不會掩飾自己。或許有人會說，那才是真正的我啊！在自己家人面前

當然不需要掩飾自我，否則不就太虛偽做作了嗎？我
們通常會把很多的心力放在外人身上，這不是不好；
但相信你一定有過熱臉貼冷屁股的經驗，也一定都有
被忽略被冷落後的難堪，其實面對跟我們最親密的
人，我們才更該珍惜啊！

⊙ 不爽的情緒是做人、做事的天敵

當心中有不爽情緒時，一旦沒有好好處理，接下
來就可能會演變成憤怒，而憤怒就十分容易讓人失去
理智。

其實不管做什麼事情，都需要思路的高度清晰，
但每天總會有不順利的事情發生，往往就會引起你的
情緒波動、不爽，若你不能把不爽的情緒轉移或內
化，憤怒往往就會不期而至，而這恰恰是冷靜思考的
最大天敵。事實上，很多讓我們產生急躁情緒，進而
發怒的事情都只是一些不足掛齒的小事。

記得有一次我開完會經過茶水間時，裡面傳出一
個助理的聲音，這個助理一直是很受公司肯定的員工

之一，只聽見他不斷埋怨最近的工作內容，說自己工作太多太雜了，上司卻沒有發現他的付出，而恰巧他口中那位愚蠢的上司就是我。聽到茶水間傳出的陣陣諷謔笑聲，當下，我真是不開心到了極點，只想請他馬上就走人。但是我還是等自己的怒氣消退一點後，才按內線請他到辦公室。

「志明，這陣子的工作辛苦囉！一切都還好嗎？」

「喔！還可以啊！」他答。

「但我剛才好像聽到你說工作量太大了，所以讓你有點吃不消。」我繼續和顏悅色地說著。

志明才紅著臉訕訕地說，因為他昨天趕著上班時，在泥濘的地上摔了一跤，結果卻還是遲到被扣錢，因此一肚子的惱火，剛好茶水間有人對他的上司有些小抱怨，他就一股腦地把所有不滿都發洩在我的身上。

生活中難免會有一些瑣碎的事情使人煩躁不安，此時應先找出使你煩燥的原因，再想辦法解除它，不

論是聽輕鬆的音樂，或泡杯咖啡或好茶，站起身來動動，都必須靠自己去轉化內心的情緒。

記得我剛升任主管時，繁重的工作令我得不斷加班。有時忙碌了一天回到家，如果孩子還沒寫功課或還沒洗澡，再看見一地凌亂的衣服、玩具，我往往便開始大聲叫罵，快去洗澡、把功課拿出來、動作太慢……，所有不滿的情緒一下子衝到腦海，我完全看不見孩子殷殷期盼我回家的臉孔，也看不見他們正準備給我的小紙條或是小卡片。

直到有一天，公司對我的表現非常滿意，讓我開心到極點，心想著回家要帶孩子們去吃頓大餐！沒想到一打開家門，就看見孩子慌亂的眼神，他們一邊忙著整理東西一邊說：

「我們的動作很快！馬上就整理好了！」

「功課已經寫完，聯絡簿已經放在桌子上了，媽媽，不要生氣，不要生氣啦！」

看見孩子們的反應，我心裡一時痛到極點，我不

斷自責，這陣子的我究竟做了什麼！我蹲下身來抱著
我的孩子，頓時，我知道我以後可以怎麼做，也知道
以後不該怎麼做了。

35 歲通常是你脫離學生生涯的第一個十年，雖然
這十年在你的人生中只佔了一個小小的位置，但這十
年中，你可能面對了畢業、就業、婚姻、孩子的誕生
……等等。每一個經驗對我們來說，很多都是第一
次，一定會有慌亂、不安與緊張，然而在這過程中，
家庭就佔了很大的一個精神比重。

你可能自己組了小家庭搬到外面去住，也可能還
是跟父母住在一起，更有可能有了自己的孩子，不論
你做了什麼選擇，35 歲的人生，與家庭的聯結是最密
切的。也因為如此，在外面衝事業的你，穩定的家庭
關係，無疑是你人生中第一本最堅固的親情存摺了。

▶ 別讓憤怒稀釋了自己的親情存摺

記得我 13 歲那年，有次和父母起了一點爭執，在
盛怒之下我決定離家出走，並發誓再也不回家了。我

要讓我的父母親後悔，其實現在想想還真是幼稚！

那是一個晴空萬里的夏日午後，我在恬靜的巷道走了很久，周遭的靜謐與美好使我原本憤怒的心情平靜下來，一想到剛剛脫口而出的那些話，我就越想越難過。

幾個小時後我還是回家了，當我打開家門時，其實心裡非常緊張，甚至暗暗想著，如果父母等一下再罵我，我一定會跑出去永遠不再回來！

怎知當我一把門打開，看到家人那如釋重負的眼神，一種溫馨感覺就在我心裡不斷加溫。我知道之所以會有那種再跑出去的念頭，是因為我太愛我的家人，我怕他們不理我，這是我怕自己又受到傷害的自我保護動作。其實反過來想，就因為我深愛我的家人，為了他們我才更應該緊緊把握與他們相處的每一秒。不是嗎！

憤怒常常會使人變得失去寬恕能力，甚至不可理喻，滿腦子盡是圍繞著要如何報復打轉，而且根本不計任何後果。

心理學家齊爾曼指出，這種高度激昂的反應會給人「力量與勇氣的錯覺，激發侵略心理……」若一時失去理智，還可能訴諸最原始的反應。

齊爾曼隨之指出**化解怒氣的方法是檢視引發怒火的想法**，因為這是促使一連串怒火勃發的始作俑者，後續的思維則有煽風點火的效果。但是採取這個方法的時間點非常重要，通常愈早效果愈大。而且如果能在發作前就定下心來檢視自己發怒的原因，有時甚至是可以完全熄滅怒火的。

有些人認為發洩怒氣是處理怒氣的一個好辦法，也可以說是「心裡會爽快一點」。但齊爾曼對此卻有不同的意見。

有心理學家做過發洩怒氣的實驗，也一再發現這對平息怒火效果幾乎沒有作用。在特殊情況下發洩或許可以達到出氣的效果，甚至將怒氣直接發在憤怒的人或物身上，可以讓自己有重新取回掌控權或覺得正義得以伸張。

然而，**發洩怒氣是冷卻怒火最糟糕的方式，那只**

會使憤怒的情緒更加延長。比較有效的方式是先冷卻一段時間，然後以較建設性的態度與對方面對面找出解決方案。

曾有人問達賴喇嘛應如何處理憤怒，他的回答是：「**不要壓抑，但也不要衝動行事。**」的確，不論對事還是對人，諒解的心才是最佳的滅火劑。

▶ 穩定的情緒管理，豐富家庭生活，活化職場 EQ

三國的智者諸葛亮在率領大軍北伐曹魏時，迎戰的魏國大將司馬懿雖然也是名將，但面對諸葛亮靈活的戰術也常常覺得無計可施。在吃了幾次苦頭後，他乾脆閉門休戰，用不理不睬來對付諸葛亮。

果然，諸葛亮耐不住這種沉默戰法，便數次派兵到城下罵陣，企圖激怒魏兵，引誘司馬懿出城決戰，但魏兵在司馬懿的控制下，一直悶聲不響。

於是，諸葛亮就想出「激將法」，派人送給司馬懿一件女人衣裳，並附上信說：「如果你不敢出城應

戰，就穿上這件衣裳，做個女人吧。否則如果你是知
恥的勇士，希望你堂堂正正地列陣決戰。」

這封充滿侮辱的信，果然在曹魏的軍營激起很大
的反應，少年氣盛的部將紛紛向司馬懿說：「士可殺
不可辱，像這種欺人太甚的信，如果我們一味地沉
默，未免太懦弱了。我們希望將軍趕快下令，出城和
蜀軍決一生死。」

司馬懿雖然也很生氣，但畢竟老謀深算，所以在
緊要關頭，仍勉強把心中的怒氣壓抑下來，講了許多
精神鼓勵的話，把軍心穩住，終於沒有讓諸葛亮的計
謀得逞。

就這樣又堅持了數月，諸葛亮後來不幸病逝軍
中，蜀軍群龍無首，只好悄悄退兵。沒多久，蜀帝阿
斗因為昏庸無能，毫無大志，受不了魏軍壓境，竟反
過來向曹魏投降，蜀漢也就滅亡了。

人類總是喜歡爭鬥，因為自古以來，歷史都以成
敗論英雄，所以人們寧肯進攻而不肯撤退。寧肯轟轟
烈烈打到剩下一兵一卒，也不肯無聲無息地被看成是

沒勇氣的懦夫。

當然，不論前進或是撤退，都需領導者的氣魄來作決斷。真正能進時，畏縮不前，自然要被視為懦夫。問題是像司馬懿所面臨的局勢，顯然據城堅守才是上上之策，開城迎戰，反而是不智的做法。當時如果司馬懿為爭一時之氣貿然出城迎戰，那麼或許歷史就必須改寫了。

所以**該守就守，該避就避**，儘管在堅守和避戰的過程中，會遭受敵人的嘲笑或內部的反對，但領導者的價值，就在於能把這些嘲笑和反對的意見全扛在身上，以無比的氣魄忍耐，堅持自己的原則，靜待最好的時機。

雖然在日常生活中，我們不會有那種兵臨城下生死交關的機會，但生活中的瑣事，卻也常常令我們一籌莫展。此時不妨想想，**穩定的情緒管理正是成就大事的第一步！**

唯有在冷靜的頭腦下，我們才能定下心來思考，下一步該怎麼走。我們都希望有美好的生活，不管是

在職場或家庭，都希望有著如魚得水般的自在，那麼
就讓我們把良好的情緒管理做為在 35 歲前送給自己的
一份禮物吧！

第三部　點燃生命的熱情

11 擁抱生命中的不完美

法國大思想家盧梭說：「大自然塑造了我，然後把模子打碎了。」事實的確是如此，只是許多人不肯接受這個已經失去模子的獨一無二自我，用自以為完美的標準模子，想把自己重新塑造一遍，結果反倒是失去了自我。

　　我常常在照鏡子的時候，不自覺地就開始「許願」：如果我的眼睛能再大一點，如果屁股能再小一點，腿再長一點，大腿的肉再少一點……好像手中真的有一支仙女棒，唰地一聲就可以把一個平凡人變成公主。

　　感謝現代科技的發達，讓即使不是天生麗質的女孩，也有機會成為整型美女。近幾年來，不管是在日本、台灣，還是中國，整型美女愈來愈多，以假亂真

的程度往往令人分不出到底是真還是假，原本的不完美一下子就變成完美，真是太神奇了。似乎沒有什麼是人類做不到的？

其實還是有的，比如說，像我這樣三十幾歲的女人如果想要再長高十公分，恐怕就是一個不可能的任務吧！在不能改變現狀的情況下，我唯一能做的應該就是接受它，而且是歡喜地接受。

⊚ 每個模子都會有缺陷，但都是獨一無二

美國心理學家布蘭登曾遇過一個案例，這個女孩擁有一副天使般的面孔，可是罵起街來卻粗俗不堪，甚至還曾經吸毒、賣淫。

布蘭登說：「我討厭她所做的一切，可是我又喜歡她，不僅因為她的外表相當漂亮，也因為我確信在那墮落外表下的她是個出色的人。起初，我用催眠術使她回憶起國中生活，當時的她很聰明，學業成績又優秀，而且因為她在體育上的表現比男孩還強，所以

常招惹一些諷刺挖苦，連她哥哥也怨恨她。」

那時，她想在各個方面都表現得高人一等，但當她發現自己在某些方面並不完美，甚至比不上別人時，她開始走向另一個極端，無限誇大這些不完美處，並把自己的長處也放棄了。

布蘭登費了很大力氣才讓她明白，**每個人都有長處、短處，且都不是完美的，所以應該學會欣賞自己的不完美。**

隔了一年多，女孩考取洛杉磯大學，之後成為記者，結了婚。十年後的某天，布蘭登和她在街上邂逅時，幾乎認不出她了。她的衣著華麗、神態自若，生氣勃勃，絲毫看不到過去的創傷。

這讓我想起在台灣報上常見的自殺學子，他們常常也是不能接受自己的不完美，例如考試成績不理想，從第一名變成第二名，或是被父母責罵等等，而產生了輕生念頭。

人總是喜歡跟別人比較，但俗話說得好：「人比

人，氣死人！」記得我小學時，總是喜歡跟同學比成
績，國中就開始喜歡比外貌，上了高中之後就要比
「酷」……當時最大的成就感就是來自於比較，以此
來告訴自己：我是最棒的！

慢慢地長大後，我才瞭解到一個事實：**沒有人是
最棒的，人或多或少都會帶著一些缺陷來到這世
上**，即使是人人稱羨的名模，也一定有不為人知的缺
憾。因此，我沒有必要為自己的長處感到驕傲，也沒
有必要為了短處而想把自己藏起來。

法國大思想家盧俊說得好：「大自然塑造了我，
然後把模子打碎了。」事實的確是如此，只是許多人
不肯接受這個已經失去了模子的獨一無二自我，就用
自以為完美的標準模子，想把自己重新塑造一遍，結
果反倒是失去了自我。

人到了 35 歲，最基本的生理人格應該都已發展成
熟，所有不管是好的優點、壞的缺憾應該大部分都定
型了，這時你若還不能正視你擁有的缺憾，眼中容不
下自己一絲一毫的不完美，那在處事上面一定會綁手

綁腳，相對就會失去許多機會。

▶ 塑造完美，反而失去更多

在日本，很多女生都有「虎牙」，或許有些人會覺
得很可愛，但也有很多人覺得虎牙有礙觀瞻，而且給
人長不大的感覺，所以會想動手把它整修整修。

曾經有個導演為了拍片四處尋找演員。好不容易
發現合適的新人，就要她來試鏡。新人十分高興，便
想把自己的門面好好整修一番，她對著鏡子左照右
照，總感到自己的虎牙不好看，於是就把牙齒拔了。
等到她興致勃勃地去試鏡時，導演一見到他就失望地
說：「對不起，你身上最珍貴的東西，被你當成缺陷
給毀了，我們這部影片已經不需要你。」就這樣新人
平白失去發展的舞台。

所以現在當我站在鏡子前面，雖然看到的仍是那
個不完美的我，但是卻變得可愛多了：這個新髮型真
不賴，臉蛋也很可愛，皮膚很白，腰也很細……相信
很難找到同時具有這四項優點的女人吧，搞不好哪天

李安導演也會看上我，找我拍片呢！呵呵！

▶ 意外帶來意外的重生

　　說來奇怪，通常外在條件愈好的人愈會追求外表的完美，一天到晚嫌自己胖的人往往都是最瘦的，但他們卻總是嫌自己不夠瘦，總想再瘦一點。相反的，那些外在條件較不好，或是外表有殘疾的人，追求的則是精神的完美。

　　心理學家曾經做過研究，對象是一群因為意外事故而導致半身不遂的病人，他們都是年紀輕輕，卻喪失運用肢體的能力。你或許會說命運對他們很不公平，不過，他們絕大多數卻表示，那場意外是他們這一生中最具啟發性的轉捩點。

　　其中就有個青年叫做魯奧吉，他在 20 歲那年發生意外，腰部以下全部癱瘓。魯奧吉在事後回憶說：「癱瘓反而使我重生，因為過去我會做的事都必須重頭學習，像穿衣、吃飯，這些都是對我的鍛鍊，需要專注、意志力和耐心。」

　　魯奧吉在意外之前，只是個渾渾噩噩的加油站工人，整天無所事事，對人生沒什麼目標。車禍後，他的樂趣反而更多，念了大學，並拿到語言學學位，還擔任親友的稅務顧問，同時他也是射箭與釣魚的高手。他強調，如今，「學習」與「工作」是令他最快樂的兩件事。

　　「有生以來第一次，」他說，「我能讓自己仔細地看看這個世界，有了真正的價值觀念，我開始瞭解，以往我所追求的，實際上大部分一點價值也沒有。」

　　正如心理學大師威廉‧詹姆斯所說：「**我們的缺陷對我們有意外的幫助。**」也許正是這樣，我們才無法否認，密爾頓可能就是因為眼瞎，才能寫出更好的詩篇；而貝多芬的耳聾也使得他能創作出更好的不朽曲子。

　　我很喜歡中國的一句名言：「吃得苦中苦，方為人上人。」懂得這句話的人，就會知道在 35 歲前的年輕歲月裡，應該給自己找苦頭吃，而不能只是給自己找樂子玩。

　　舉凡成功人士，他們的心志並不見得都強韌得像鋼鐵一樣，許多人也有過一段內心黑暗的時期，甚至有的曾因前途無望而想自殺。但是再大的缺陷、再多的痛苦都會過去，只要正視它，就能駕馭它。命運給我們的暗示也許正是這樣：你認為你是什麼樣的人，就會成為什麼樣的人。**擁抱生命中的不完美，多走一步，就是天堂。**

第三部 點燃生命的熱情

12 走路之前，先學跌倒

「你把失敗當機會，失敗也就遠離了你。」請相信一個事實：一個最失敗的人也具有最大的潛力，成為最成功的人……跤跌得愈多的人，成就反而愈好；而且，愈早跌跤，對挫折的忍受力也就愈強。

記得高中的時候，面對大學聯考的沉重壓力，老師總是喜歡這樣跟我們說：「如果你覺得痛苦的時候，就去醫院走一趟·當你看到那些生病的人，你就會發現自己的那點痛苦根本不算什麼。」

之後，為了一顆長不出來的智齒，我果真開始頻繁地進出台大醫院，當同學都在為聯考衝刺的時候，我常得請半天假到醫院排隊候診·每次看到醫院裡總是有那麼多人，掛號要排隊，候診要排隊，批價要排

隊，領藥也要排隊，在我還沒來得及感受其他病人痛苦的時候，就已經強烈感受到自己的痛苦了。再加上我的病例特殊，醫生把我轉來轉去，好讓各領域的專業醫師都來為我的牙齒評估一番，這又耗掉不少時間，才終於決定開刀拔牙。

儘管是這樣，我的模擬考成績卻愈來愈好，甚至還拿了全校第四名。所有人都開始對我刮目相看：那個屢次在數學課打瞌睡，被老師一棒敲醒的白目同學；那個一天到晚遲到，常被教官罰勞動服務的糊塗同學；那個會吆喝同學蹺課去唱KTV的混帳同學……竟然可以考全校第四名！

現在回想起來，或許就是因為高中生活如此不堪，在醫院又看到很多人都比我還要痛苦，所以才會在最後一刻痛定思痛吧，當時我心中唯一的念頭，就是要讓自己的未來不一樣，要徹底改變別人對自己的刻板印象！

後來我才發現，像我這樣的人其實有很多，而且不變的定律是：**跌跌得愈多的人，成就反而愈好；而**

且,愈早跌跤,對挫折的忍受力也就愈強。

我常常看到很多少年得志的人,年輕時意氣風發,中年時不幸跌了一大跤,也許是失業、離婚,也許是公司倒閉、破產。這樣的打擊對於一個向來自信滿滿的人來說,無疑是晴天霹靂,加上還要面對家裡妻小的眼光和壓力,很多人就因此一蹶不振。

其實,人生本來就不是一帆風順,你在 35 歲前就應該建立這樣的態度:我並不是行走在一條鋪著地毯的康莊大道,而是行走在布滿坑坑洞洞的崎嶇小路,我隨時都要留心我的步伐,做好跌跤的心理準備。

⊙ 大聲說出失敗的經驗

這個心理準備在職場上也同樣受用。大多數的企業高階主管都是從基層一路跌跌撞撞爬上來的,所以只要是曾經跌過跤的主管,都會特別重視下屬的失敗經驗。

國內某家企業的老總在面試新人時,必定會先問

對方過去是否有失敗的經驗，如果對方回答「不曾失敗過」，老總就會直覺認為對方不是說謊，就是不願意冒險嘗試挑戰。老總常說：「**失敗是人之常情，而且我深信它是成功的一部分，很多的成功都是由失敗的累積而成的。**」

一個人如果不曾犯錯，就永遠不會有機會從錯誤中學到東西，而這種經驗遠比在成功中學到的多更多。因此，大多數的企業主，包括我自己的老闆，都會這樣鼓勵員工：「只要你覺得有把握的事情就堅持去做，就算失敗了也沒有關係，因為這樣你也會知道以後不能再這樣做。」

⏵ 人的一生平均有三次大失敗

不只台灣企業如此，國外企業也有一樣的情形．被譽為全美最有創新精神的 3M 公司，也非常贊成並鼓勵員工冒險，只要有任何新創意都可以嘗試，即使在嘗試後是失敗的；只要每次失敗發生率是預料中的 60%，3M 公司就仍會將此視為員工不斷嘗試與學習的最佳機會。

　　3M 會這麼做的理由其實很簡單：**失敗可以幫助人再思考、再判斷與重新修正計畫**，而且，通常重新檢討過的意見會比原來的更好。

　　美國做過一個有趣的調查，發現所有受訪的企業家中，平均都有三次破產的記錄。依照這個調查結果來推論，人的一生平均就會有三次大失敗。即使是世界頂尖的一流運動選手，失敗的次數也毫不比成功的次數「遜色」，例如著名的全壘打王貝比魯斯，就同時是被三振最多的記錄保持人。

　　數學家習慣稱失敗為「或然率」，科學家則慣稱之為「實驗」，失敗其實是一種必要的過程，而且也是必要的投資。否則如果沒有前面一次又一次的失敗，怎麼會有後面所謂的成功呢？

⊙ 專注於挑戰，而不專注於失敗

　　美國賓州州立大學有位教授專門研究運動選手，他曾以一群奧運體操選手為研究對象，進而發現那些成績出色的運動員普遍具有兩項特點：**一是，從不抱**

完美主義；二是，對過去的失誤從不放在心上，只專
注於未來的挑戰。

的確如果心中一直對過去的失誤耿耿於懷，就不
會有多餘的心思去計畫未來更重要的事。

有一句話說得很有意思：「**最大的失敗，就是永
不失敗。**」不願面對失敗與不肯承認失敗同樣糟糕。
其實若能把失敗當成人生必修的功課，你會發現，大
部分的失敗都會給你帶來一些意想不到的好處！

在日本有個叫做西村金助的人，他借錢開了一家
製造玩具小沙漏的工廠。原本在時鐘未發明前，沙漏
是用來測算每日的時辰，但時鐘問世後，沙漏已完成
歷史使命，西村金助卻還把它當作玩具來生產銷售。

當時沙漏的消費市場已經很小，而它所面臨的主
要買主──孩子們，也逐漸對它失去興趣，因此，銷
售量逐漸下降。但西村金助一時想不到辦法，最後只
好暫時停產。

西村決定好好地休息和輕鬆一下。他開始每天都

找些樂子，看看球賽，讀讀書，聽聽音樂，或者帶著家人一起去旅遊，但他的頭腦一刻也沒有停止思考。

一天，西村正在翻看一本敘述賽馬的書，書上說「馬匹在現代社會裡失去了運輸的功能，但又以高娛樂價值的面目出現。」在這不引人注目的兩行字裡，西村好像看到了機會來敲門。他想：「賽馬用的馬匹確實比運貨的馬匹值錢。是啊！我應該找出沙漏的新用途！」

機會總是偏愛有準備的頭腦，西村金助的精神又重新振奮起來，把心思重新放到他的沙漏上。經過幾天苦苦思索，一個構思浮現在他的腦海：做個限時三分鐘的沙漏！在三分鐘內，沙漏裡的沙子就會完全落到下面來。把它裝在電話機旁，這樣打長途電話就不會超過三分鐘，話費就可以有效地控制了。

製作沙漏，對於西村而言，早已是駕輕就熟。而這個新產品的設計非常簡單。不打電話時還可以當裝飾品，雖是微不足道的小玩意，卻能調劑現代人緊張的生活。

　　新沙漏可以有效控制通話時間，售價又非常便宜，因此一上市，銷路就很不錯。這項創新使原本沒有前途的沙漏瞬間成為對生活有益的用品，也使面臨倒閉的小工廠很快變成一個大企業。西村金助也搖身一變，成了腰纏億貫的富豪。

　　「**你把失敗當機會，失敗也就遠離了你。**」我開始慶幸自己年輕時所吃的苦和所犯的錯，因為我漸漸相信一個事實：**一個最失敗的人也具有最大的潛力，成為最成功的人。**

第三部　點燃生命的熱情

13 說「不」，
就能跟麻煩拜拜

「不」這個字聽起來真的很刺耳嗎？也許是的，可是換個角度來看，其實有時候我們說「不」就是在對成功說「是」。

　　對大多數來說，拒絕別人似乎是一件很難辦到的事。在生活中人人都可能會向其他人提出幫助。幫助別人是好事，但是並非所有的幫助請求，我們都應該承諾下來，如果要求合理，恰巧又在自己能力範圍之內，那麼該出手幫助就要出手幫助。如果要求不合理，而且自己的能力也可能辦不到，那麼就要學會說NO了。

　　一般來說，對方若是屬於下列情形的要求，我們就應該加以拒絕：

1.違背自己做人的原則；

2.不符合自己的興趣喜好；

3.違背自己的價值觀念；

4.有損自己的人格；

5.助長別人的虛榮心；

6.庸俗的交易；

7.違法犯罪的行為。

其實對於別人的請求，大多數人都能夠劃分清楚哪些是合理，哪些是不合理。之所以不敢拒絕，是怕會惹對方生氣，影響兩人日後的交情。常可以在報上看到一些年輕人，因為注重兄弟情義，所以即使朋友找他去幹壞事，雖然明知那樣是違法的，但他們為了「講義氣」，還是去幹了，結果就是被抓進了監獄，斷送大好前程。

所以我們每個人都要對他人的不當請求，勇敢地說「不」！**一個有力的拒絕，也許就會免去一場可怕**

的災難，上述例子就是最好的証明。

當然拒絕別人時，還是得注意一些原則、技巧，這樣既可以做到有效拒絕，又可以顧及對方的面子，使雙方情誼不致生變，何樂而不為呢？ 35 歲之前，你應該學會：

⊙ 拒絕的話不要脫口而出

當對方向我們提出要求時，心中多少都會有些困擾或擔憂，擔心我們會不會馬上拒絕，擔心我們會不會擺個臉色。因此，千萬不要當下就給予拒絕，這樣是會傷害到對方的尊嚴；**在決定拒絕之前，最好先注意聆聽對方的述說**。比較好的方法是，請對方將處境與需要，講得更清楚一點，我們才知道該如何幫助他。接著就是跟對方表示我們暸解他的難處，倘若易地而處，我們也一定會如此。

「傾聽」能讓對方先有被重視的感覺，當我們在委婉表明自己拒絕的立場時，能避免傷害對方的感覺，或避免讓人覺得我們在應付了事。如果拒絕是因

為能力不足，傾聽可以讓我們清楚地界定對方的要求
是不是在能力範圍之內，然後再決定應該幫助與否。
專注傾聽的另一個好處是，即使拒絕了對方，對方也
會認為我們是真誠的，而不會太責怪我們。

▶ 拒絕時要溫和委婉

當我們仔細聆聽他人的要求，並認為自己應該拒
絕的時候，說「不」的態度必須是溫和的。就好像裹
著糖衣的藥丸，總是讓人容易入口。同樣的，**委婉表
達拒絕，比直接說「不」讓人更容易接受**。

▶ 明白道出拒絕的理由

以真誠並符合邏輯的理由拒絕，有助於維持原有
的關係。倘若覺得拒絕的理由不充分，也可以不說明
理由而直接拒絕。千萬不要想編造理由，因為謊言終
究會被揭穿。尤其是當我們說明理由後，對方或許會
試圖反駁，但千萬不要與之爭辯，只要重申拒絕即
可。

▶ 要有幫助性地進行拒絕

拒絕對方時可以針對情況，建議他另謀出路。如果能**提出一些有效的建議或替代方案**，相信對方一定會感激你的。此外，我們還可以進行一些替代性幫助。例如，員工要求裝冷氣，我們至少可以給他一台電風扇；女友希望你送她 LV ，至少你可以送她 ELLE 。有替代、有出路、有幫助的拒絕，必能獲得對方的諒解。

▶ 拒絕時不要模稜兩可

不要給對方幻想，但應該給對方希望。一個人被拒絕之後，只要還有希望，就會有目標、有幹勁。不僅有助於減輕、消除遺憾，還能促使人振奮向上。

合理的要求，如果一時還不能解決，不妨如實告訴對方，經過努力，待條件具備了問題就會迎刃而解。如屬於經過對方的主觀努力所能改變，也應給對方希望，而不能令人絕望。所謂給予希望，絕不是說空話、許空願，而是在拒絕之後，再做一些必要的善

後說服工作，使對方感到雖然某個要求未能滿足，但
工作還是有意義、生活還是美好的。

一味拒絕和開空頭支票都是對人冷漠無情，對事
不負責任的表現。但拒絕之後，還能給予希望、鼓
勵，使對方體會到熱切的心、殷切的期盼。這種情誼
便依然可貴。

▶ 要適時給予對方關懷

有時候拒絕是一個漫長的過程，對方或許會不定
時提出同樣的要求。若能化被動為主動地關懷對方，
並讓對方了解自己的苦衷與立場，相信一定可以減少
拒絕的尷尬與影響。只要當雙方的情況都改善了，那
就有可能滿足對方的要求。

拒絕的過程中，除了技巧，更需要發自內心的耐
性與關懷。若只是敷衍了事，對方其實都感覺得出
來。這樣的話，有時更會讓人覺得你是不誠懇的人，
這樣反而對人際關係傷害更大。

▶ 說 NO 其實是向成功說 YES

「不」這個字聽起來真的很刺耳嗎？也許是的，可是換個角度來看，其實有時候我們說「不」就是在對成功說「是」。

14 歲的婷婷坐在鋼琴前面，面對整個音樂廳的觀眾彈奏出悠揚悅耳的樂曲。一曲終了，她悠揚的琴聲贏得整場如雷的掌聲。當起立致謝的那一刻，她深深地以自己的表現為榮，因為她知道這些掌聲，她當之無愧。

其實婷婷的成就並非從天而降的，整整九年的時間，她每天都要在鋼琴前練習四個小時以上。這九年的時間，她必須對週遭許多社交活動、電影，以及其他浪費時間的娛樂說「不」，才能專心地坐在家裡練琴。那樣的孤獨與毅力就是她付出的最大代價。

回頭看看，當婷婷對浪費時間的娛樂說「不」時，是不是就在對生命中更重要的目標說「是」呢！

35 歲前的你學會說「不」，你才能掌握人生的主

動權，使生活更加輕鬆自在；**唯有懂得巧妙拒絕的**
人，才能真正廣結善緣，與週遭人群建立良好的人際
關係。對誘惑說「NO」才是真正對將來的成功說
「YES」。

第三部　點燃生命的熱情

14 退後
是為了之後能向前

其實「爭」與「讓」並非不相容，反倒是經常互補。在生意場上也好，在外交場合也好，在個人、集團之間，也不是一個競「爭」到底，忍「讓」、妥協、犧牲有時也很必要……以隱忍的心態做人，以積極的準備做事，那麼大事便可成。

我們不能改變既成事實，但可以改變面對事實、尤其是壞事的態度。身邊常常有些人僅僅因為打翻了一杯牛奶或輪胎漏氣就神情沮喪，失去控制。這是十分不值得的，因為我們既然無法避免會遇到不好的事情，何不換個心情坦然面對呢？

有一個故事是這麼說的：旅行家在行經蘇格蘭的農場時，他問一位坐在矮牆上的老人：「明天天氣會

怎麼樣？」

老人也沒看天空就回答說：「是我喜歡的天氣。」

旅行家又問：「會出太陽嗎？」「我不知道！」老
人這麼回答。

「那麼，會下雨嗎？」「我不想知道。」老人慢條
斯理地回答著。

這時，旅行者完全被老人家搞糊塗了，「好吧！」
旅行者說：「如果是你喜歡的天氣，那麼會是什麼天
氣呢？」

老人看著旅行家緩緩地說：「很久以前我就知道
我沒法控制天氣，所以不管天氣怎麼樣，我都喜
歡。」

▶ 別為無法控制的事煩惱

我們沒辦法決定會遇到什麼事情，但我們卻有能
力決定自己面對事情的態度，因為如果你不控制它
們，它們就會控制你的情緒。

　　所以別把牛奶灑了當作生死大事來看待，也別為一個洩了氣的輪胎苦惱萬分；既然已經發生了，就當它們是你的挫折。但它們只是小挫折，是每個人都會遇到的，你對待它們的態度才是重要的。不管你想做什麼，事情都有可能會搞砸的。所以當我們遭遇了挫折，就當作是多一次學習的機會吧！

　　1985 年， 17 歲的伯里斯‧貝克以非種子身分贏得溫布頓網球公開賽冠軍，震驚了世界。一年後他成功衛冕；但又過了一年，在一場比賽中， 19 歲的他才第二輪就被名不見經傳的對手給封殺出局。在賽後的新聞發布會上，記者問他有何感受。他以那個年齡的少有機智道：「你們看，沒人死去──我只不過輸了一場網球賽而已。」

◉ 多點彈性看事物

　　即使是困難重重的問題，也可按照看待它的方法，而有容易或不容易的區分。其實事態往往並不如想像中那般嚴重。如果自己能獲得自信，那麼就會有某些能量在體內滋生，讓你獲得東山再起的巨大力

量。之所以如此，主要是由於想法的改變——亦即心態的轉換。積極樂觀的信仰與觀念將帶領你走出懷疑的陰影，並在你的內心賦予足以克服一切困難的充分力量。

面對人生的困境時，首先想到的是悲觀、不幸、絕望，這是人之常情，但是要知道**最美的彩虹總在風雨之後啊！**

在困難面前，聰明的人會這樣去做：以具彈性的眼光，在困難的周圍環繞，看看有沒有克服的辦法。如果這個辦法行不通就找下一個，總會有解決困難的辦法，在那裡等待著我們去發現。而且你應該相信，「困境」也會給予我們額外的饋贈，因為我們正在一條與眾不同的途徑上向更圓滿的人生邁進，無疑會看到與眾不同的風景。

⊙ 退一步有時反而進兩步

明朝年間，有位尤姓老翁在江蘇常州開當鋪多年，生意一直不錯，某年年關將近，尤翁忽然聽見堂

上人聲嘈雜，走出來一看，原來是鋪裡的夥計正和一個鄰居吵起來。夥計連忙上前對尤翁說：「這人前幾天典當了一些東西，今天空手就來取典當之物。我不給，他還破口大罵，一點道理都不講。」

鄰人見了尤翁，態度依舊高傲並且無理。尤翁卻笑臉相迎，好言好語地對他說：「我曉得您的意思，不過是年關將近，為了好過年。大家都是街坊鄰居，這區區小事哪用得著爭吵。」於是，便叫夥計找出他典當的幾件東西，尤翁指著棉襖說：「這是過冬不可少的衣服。」又指著長袍說：「這件給你拜年用。其他東西現在不急用，不如就暫放這裡，棉襖、長袍你先拿回去穿吧！」那人只好拿著兩件衣服，一聲不響地走了。

惡鄰走後，旁人趕忙問尤翁說：「你怎麼能忍受這無理的氣，還向那無賴低頭？」尤翁回答說：「凡是蠻橫無理來挑釁的人，必定是有恃而來。如果我在小事上爭強鬥勝，那麼災禍就可能接踵而至。」

果然，這時傳來惡鄰突然死在隔壁店鋪的消息。

原來惡鄰因欠下巨債走投無路，便事先服毒，想以死來敲詐錢財，不巧被尤翁應對化解。他只好換到隔壁，而那店東不肯相讓，惡鄰就死在那裡了。眾人知道前後因果後，無不佩服尤翁的先見之明。

我們都知道的一句名言：「忍一時風平浪靜，退一步海闊天空。」似乎與當今商品經濟下的競爭觀念不太合，**其實「爭」與「讓」並非不相容，反倒是經常互補**。在生意場上也好，在外交場合也好，在個人、集團之間，也不是一個競「爭」到底，忍「讓」、妥協、犧牲有時也很必要。

作為個人，**適當低一下頭有時也是一種智慧**，低頭不代表捨棄自尊，更不是恥辱。即使在市場競爭的條件下，隱忍退讓仍然能夠提供成功有效的經營策略。

比如商人常說的「有錢大家賺」，就是讓的一種表現。經營行為本來是以追求利潤最大化為原則，如果你斬盡殺絕，不肯讓利，就不會有合作夥伴，也就根本不會有商品經濟。

▶ 把忍耐轉化爲動手的準備

當你還沒有充分實力時，忍耐就具有特別重要的戰略意義。做大事者，通常能審時度勢，不把小恥小辱放在心上。但是，光被動地忍耐還不夠，必須為了忍耐後的行動積極準備才是。

唐高祖李淵在建立唐朝後，太子和齊王勾結，多次想陷害有功的秦王李世民，兄弟間的生死廝殺似乎無法避免。

秦王身邊的謀臣屢次著急進言，勸他早做動手打算。而秦王總會面現苦容嘆息說：「我們乃是同胞兄弟，縱是他們不對，我又怎麼忍心呢？還是委屈一下吧！時日一長，也許一切就會煙消雲散了。」

但他卻暗中把心腹將領找來，對他們說：「臣子的好心，我豈不知？不過現在我們安排未妥，又怎能草率行事呢？事若不密，為人察覺，只怕先得人頭落地。還望各位詳作籌劃，切勿洩露。」

由於他表面從容，處處示弱，太子、齊王果被欺

騙，暗中得意，只想著步步實施整倒秦王的計畫。

不久，突厥犯境，太子保舉齊王為帥，並要求秦王把兵馬歸他指揮。雖然秦王一眼便看穿他們的陰謀，但仍故作痛苦地安撫眾人說：「看來我只能束手待斃了。這是天意，我又能怎麼樣呢？」

而他又接獲密報，說太子與齊王已定下計謀，等大軍出征送行時，要趁機伏擊。眾人聽此，情緒更為激動。秦王見時機已到，才長嘆一聲地對眾人說：「我是被逼如此，各位都是明證。事到如今，我們只有先發制人，才能剷除強敵，保全性命。」

於是他開始分兵派將，伏兵玄武門，先一步誅殺太子和齊王。之後，李淵讓位秦王，李世民終於實現登基為帝的夢想。

唐太宗李世民在爭奪帝位的過程，就是採取保存實力邊忍邊動的原則，後來才達到自己的目的。他的「成功」告訴我們：**以隱忍的心態做人，以積極的準備做事，那麼大事便可成。**

　　出了學校後，面臨到的社會種種百態，是否常令你心中有許多不滿。這個時候你應該先定下心來，好好思考並分析自己目前的狀況，將其條列式地一條條列出來。

　　記得我剛入社會工作時，總懷疑為什麼倒水奉茶的總是我，也不懂為什麼有好康的事情總是別人享受？明明是我想的點子卻變成是主管跟老闆邀功？當時我真的感到很不平，也很不爽。還好有位同事鼓勵我，不斷地告訴我，目前公司能給我的是磨練和多元化的學習；如果你真的是塊料，就不怕沒有出人頭地的一天。

　　同樣的，35歲前後的你，在職場的時間說長不長說短不短，但如果想要出人頭地，忍耐將會是一門愈早培養，就能愈早成功的功課喔！

第四部
擬定行動的策略

態度決定一切，

唯有深入了解態度的威力，

才是化態度為行動的首要之務。

它可以鼓勵你積極行動，

也可以變成毒藥，

癱瘓你的能力，使你無法發揮潛力。

態度決定了，

究竟是你在駕馭生命，

還是生命在駕馭著你。

第四部　擬定行動的策略

15 夢想要與現實合爲一體

新與舊、思想與現實會發生種種碰撞，尤其當現實與個人發生矛盾的時候，首先要以適應的心態看待現實。適應不等於妥協，而是實現自我的必要策略，是給自己營造一個更適宜的生存環境。要知道，抱怨、指責不能解決任何問題，只能讓自己與所期待的夢想越來越遠。

　　對工作、對人生，我們就是靠著一股熱情支撐下去。一個人如果對自己的事業充滿熱愛，並選定了自己的工作願望，就會自發地盡自己最大的努力去工作；而如果一個人沒有任何目標，那麼他最終將迷失了自己。

　　人想要真正活出生命，就應該時時擁有熱情，想要維持熱情，就應該用開闊的心去體驗生活。

▶ 夢想現實結合才能改變現實

我們經常會做和現實相距甚遠的「白日夢」，而
且，經常用這種「白日夢」來自我安慰，甚至拿來當
成自己的夢想來追求。

其實，將「白日夢」當成追求的目標，也沒有什
麼不可以，因為，**有時候夢想也會成為前進的動力，
前提是夢想要與現實充分結合。**

從許多著名人物的傳記中，我們可以發現，他們
往往經過多年奮鬥才獲得成功。英國作家托爾金把自
己半輩子的心血都花在曠世鉅作《魔戒》三部曲之
上；法國的沙特用了近乎十年的時間來寫第一本書，
雖然三易其稿，卻還是遭到出版商的拒絕。如果沒有
遠大的願望和夢想支撐他們，他們能有這麼大的動力
嗎？如果沒有以自己的夢想作為動力，他們又怎會犧
牲自己生命中的寶貴時間呢？

很多藝術家以數年、甚至數十年地專攻一幅畫
作、一本小說或一部戲劇，過著完全沒有保障的生

活，更是常常陷入貧困、經濟拮据的窘境，但是他們都可以置之不顧，只為了能夠讓自己的夢想成真。即使經過多年奮鬥沒有成功，卻仍然不輕易放棄自己的理想。如果問他們：「付出這麼多艱辛，值得嗎？有必要嗎？」他們大概會回答：「必要的話，還會一直這麼下去。」**一個人豐富的內心世界和夢想在他人眼裡也許會顯得「很古怪」，但這恰恰是一個人真正擁有的財富。**

人之所以努力工作、盡情發揮創造力，幾乎都是為了實現心中的願望；如果一個人沒有願望，那麼他根本就不會有動力，也不會有行動，只是行屍走肉罷了。但是，我們如果把成功歸功於夢想是不全面的，因為自身才華這個「現實」也是實現夢想的不可忽略基礎。

亨利・福特一直想生產大眾型汽車，但在當時這是個偉大的夢想，實現它註定得付出巨大代價，然而，他決定面對這一切。缺衣少食的折磨和債臺高築的巨大壓力並沒有使他屈服，他以堅定的信念挺了過來，執著地朝目標走去。

　　終於，幸運之神向他招手了。福特生產的 T 型車，改變汽車為富人獨占的歷史，改變人們的思維方式，把人類推向新時代。

　　福特所處的 1920 年代，正是美國汽車工業全面起飛時期。新型汽車層出不窮，不斷滿足人們的各種需要，但 T 型車仍保持單調的黑色和沒變化的車型，福特日漸失去市場。該怎麼辦呢?

　　福特開始不動聲色，悄悄地買了一些廢棄船，用來煉鋼造車以降低成本。不久，他突然大張旗鼓地宣布工廠全面停產 T 型車，卻不宣布原因。人們看到的是，工人並沒有被解雇而照常上班。對此，新聞界疑惑不解，爭相報導此消息，出於好奇，人們開始普遍關注福特汽車製造公司。

　　福特呢，卻正悄悄地研製一種外觀新穎又古樸典雅、性能更好、價格更便宜的 A 型車。正如其所料，半年後 A 型車上市，引起空前轟動，銷售量劇增，福特又重新收復市場，福特汽車公司因此成為世上最大的汽車公司之一。

從福特崛起又化解危機的例子中，我們可以瞭解，只要你是個不安於現狀的人，只要你是想要有所作為的人，就要把夢想當作前進的動力，依託現實去追求更大的成功。

▶ 依託現實採取行動

可惜的是，許多人雖然懷有「成就一番事業」的願望，卻遲遲不見行動。

所以為了實現夢想，首先必須將強烈的願望化為明確具體目標，並且立即朝目標徹底行動起來。然後要經常目睹周圍的人的辛苦和痛苦，以此鞭策自己的懦弱，從消極情緒中擺脫出來。

成功經驗說明：**如果不付諸努力，再美好的夢想都只能化為泡影，而依託現實更是正確行動的基礎。**行動是通向夢想的唯一橋樑，只有腳踏實地，一步一個腳印地向著夢想努力，才能取得最後的成功。

就如同探險家莫瑞所說的：「從一個人真正把自己投入的那一刻開始，上帝的旨意也會跟著動作。從

那個決定開始，啟動一連串的事件，各種無法預見的事件、人際遇合、物質援助接踵而來，以他未曾夢想過的方式匯聚起來，一同協助他。」

▶ 做好「夢醒」的準備

有時候「白日夢」固然美好，但夢想畢竟不是現實，即使你有足夠的勇氣去追逐夢想，也很難保證中途一定不會遭遇任何變故，所以，在「做夢」的同時，你也必須做好「夢醒」的準備。

人生是漫長的，社會是遼闊的，因此，難免遭遇挫折，難免陷於悲觀。在這種現實環境下，適當的準備和足夠克服困難的方法，就顯得非常必要。

而且，再困難的事，只要有適當的準備，有心尋求解決之道，必能找到辦法解決。不過，如果沒有足夠克服困難的力量或方法，則註定要失敗。

面對困難和挫折，首先要勇敢地承擔，如果不肯承認失敗，那就不會有什麼進步，即使是最聰明的人，也不敢說自己不曾失敗過。正因為有無數的失

敗，才能獲得無數的經驗，使自己有所警惕，從而得
到成長，如果是因為暫時的失敗就不滿社會，抱怨他
人，那只會使自己永遠活在失敗和不幸中。

正視困難，就該有以下的認識：「這是最好的體
驗。雖然嚴厲了點，卻是很珍貴的教訓。」只有具備
這種胸襟的人，才是日後進步成長的人。

人之可貴便在於跌倒一次就能有所領悟，而非莫
名其妙地跌跌起起。所以，每個人都要有「**跌倒了也
不要白白爬起來**」的心態，而要認真細心地從中汲取
經驗，不斷改正自己的錯誤，不斷地奮發向上。

面對困難，還要考慮該如何解決，當然解決困難
的方式有很多，但最重要的就是認清事件的真相，冷
靜地去思考引起困難的真正原因。

如果自己有做錯，疏忽或思考不夠周密的地方，
就要坦白地自我反省，加以改正，如此便容易處理困
難，也才會把這種體驗牢記在心。換句話說，就是要
在事情露出破綻時就能察覺到。但可惜的是，人們常
常在事情有了差錯後才去草草地處理，而結果自然就

不盡如人意。

　　所以說，凡事必須有備而來，當你做好了「夢醒」
的準備，即使現實多麼殘酷，你也不會跌入谷底而悲
觀氣餒，相反卻會擁有更多的勇氣與毅力。

　　你有夢想嗎？有夢最美，希望相隨，趕緊在 35 歲
前為自己許好一個人生大夢，然後寄託於現實，朝著
夢想勇敢邁進吧！當夢想與現實合為一體時，你就有
目標、有可能、有動力，夢想將不再是夢想，總有變
成現實的一天。

第四部　擬定行動的策略

16 留意人生時刻表，
緊握「機會」單程票

生活就是如此，它不斷地將禮物送到你的手中，而接不接受就在你自己。當然，機會也不是靠等來的，總是等待機會，就會失去機會……人生，不一定要當「最好」，但一定要懂得讓自己「更好」；不一定要登峰造極，但一定要懂得讓自己保持在當下的狀態中。

　　機會與事業成敗可說是休戚相關，也是幸運兒和倒楣鬼的分界線，那些能及時掌握時機，把握住機會的人，常常一帆風順，心想事成，成為人生的幸運兒；反之，不能抓住機會，等到時機失去後才捶胸頓足的人，就註定只能成為十足的倒楣鬼，因此，要抓住眼前的每個機會，哪怕這種機會只有萬分之一。

　　首先，我們要知道，**機會只敲一次門**。機會老人先送上他的頭髮，如果我們沒抓住，再抓就只能碰到

他的禿頭了。

　　其次，**機會在於洞察，機會到處都有，關鍵在於
你是否有銳利的眼光去發現它。**

▶ 抓住眼前的機遇

　　一本暢銷書的誕生，除了內容要精彩之外，大部
分還是得靠運氣，然而能抓住社會脈動的時間點或一
句話，也可以發揮關鍵作用。出版界曾經流傳這樣一
個傳奇，某家出版社為了倉庫滯銷的大批書籍，日夜
發愁。為了達到銷售的目標，便想在總統身上做文
章。忽然，靈機一動，透過朋友的傳達，送給總統一
本精裝樣書，總統閱讀這本書以後，基於禮貌說了一
句：「這是一本好書。」

　　出版社知道以後，便運用總統的這句話大幅廣
告，果然不到半個月的時間，堆積如山的書籍全部都
銷售一空。

　　過了一段時間，又有一批書籍滯銷，出版社食髓
知味，又寄一本書給總統，這次總統毫不留情：「這

本書很糟糕啊！」

沒想到，出版社還是大肆廣告宣傳：「有本總統認為很糟糕的書出售！」不到半個月，滯銷書籍，同樣銷售一空。

幾個月以後，又遇到滯銷問題，出版社再用同樣的手法寄書給總統。這回總統學聰明了，對書的好壞評價，不發表任何意見。得知總統一言不發，不對書籍作任何評價，出版社就在廣告上這樣寫著：「有本連總統都無法評價的書籍出售！」很多人想知道是怎樣的書籍，連總統都無法評價，於是這本滯銷書，沒幾天又銷售一空了。

方法是人想出來的，運用總統的金言，出版社可以作為書籍的推銷賣點，不管總統說什麼，都有相對應的銷售策略，所以能夠替事業締造佳績。人生路上，機會同樣是常常如影相隨，只是我們沒有發現、不去珍惜罷了。機會無所不在，然而你把握多少？發現多少？機會不會特意刻上你的名字，它只送給懂得把握的人。

不妨問問自己：假使機會真的來了，我們是否有足夠實力去牢牢抓緊呢？不妨問問自己：在過往的日子裡，因為沒有足夠的能力而喪失了多少機會呢？不要怨天尤人了，因為機會早已放在你的手掌心裡，等著你緊緊握住。

▶ 利用現有條件，創造機會

生活就是如此，它不斷地將禮物送到你的手中，而接不接受就在你自己。當然，機會也不是靠等來的，總是等待機會，就會失去機會，就像美國廣為流傳的俗諺所說：「**在通往失敗的路上，處處是錯失了的機會。**坐待幸運從前門進來的人，往往忽略了從後窗進入的機會。」

如果一個人能夠多看、多聽、多想，就會發現自己身邊蘊藏著無數機會，或者機會等待著自己去挖掘。許多人之所以一事無成，就是因為總在等著時機；要知道**世界上的事沒有絕對完美或接近完美，時機也永遠不會「恰到好處」**，如果等所有條件都具備以後才去做，就只能永遠等待下去了。

天上不會掉下餡餅，一個等待機會降臨的人，是不會有收穫的。只有主動出擊，尋找機會，才能發現時機、抓住機會。

每個人都渴望成功，但成功並不都屬於每一個人。當問到某些沒有成功的人時，他們的回答往往是：「因為我沒有成功的機會啊！」他們認為自己很有能力，但是卻生不逢時，找不到適合發揮自己能力的空間，但成功是沒有任何藉口，是沒有「如果」、「但是」、「因為」的。

機會是被人創造出來的，凡是成功人士，他們都勇敢地給自己創造機會，而事實上，那些以無比熱情看待自己工作和事業的人，總能發掘無窮的機會。所以，永遠別說這個世界沒有給我們機會，而是要學會創造機會。

◉ 生命要把握當下

有位老太太，在 68 歲的生日派對上如此許願著：「我 40 歲學彈鋼琴（現在她老人家已可以在教會中彈

琴），50 歲學英文（已可以用英文與外國人對話），
60 歲學開車。現在我已經 68 歲了！如果上帝讓我活
到 70 歲，我一定要開畫展。」多麼讓人佩服的態度，
不是嗎？

人生，該是「ing」（現在進行式），而不應是「ed」
（過去式）或「be going to」（未來式）；該是把握現
在，懂得不時地保持在上進狀態，絕不因時間或任何
關係而停止努力，或是一再地告訴自己「反正明天再
開始也不遲」。

每個人都知道，時間稍縱即逝，「明天」一下子
就到了，但有誰真正見到「明天」到來？除了「現
在」，沒有其他我們能夠真正把握的時刻。

珍惜當下、把握現在，過去的就讓它過去，也不
要幻想未來，那麼生命必將踏實。

記住，回憶、懷念、後悔、憧憬或希冀，是忽視
現在最普通且最有害的辦法！透過對過去的緬懷、對
未來的憧憬，或許能讓自己暫時避免「現在」所造成
的失望、沮喪和挫敗等，但千萬不可以讓這變成習

慣，成為逃避現實的藉口。

「過去式」雖然提供了經驗與事實，卻只能遙想與回憶，因為你不可能重溫舊夢，只能無奈地接受現實；「未來式」是種目標與願景，但是任誰也無法抓得準，因為有太多不確定因素在背後；只有「現在進行式」可以操控在自己手中，你當下的所作所為才是最真實的。

如果，你不採取行動，那麼你肯定要過著令自己不快樂的生活。生命如此短暫，為什麼不讓自己真正過得愉快自在？生活，是自己的生活，唯有把握當下做自己想做的事，才能不枉此生！

雖然，人們常說「現在開始永不嫌遲！」但是想一想，如果一位 68 歲的老太太都可以如此把握當下，不斷追求進步，那麼你呢？

35 歲之後開始或許並不算遲，但是機會卻不會等待你到 35 歲。只有**確實把握當下，抓住眼前稍縱即逝的機會，才能創造成功**，才不會徒勞空等。

　　人生，不一定要當「最好」，但一定要懂得讓自己「更好」；不一定要登峰造極，但一定要懂得讓自己保持在當下的狀態中。你的人生，是「ing」嗎? 昨天的你、今天的你、明天的你，三者能連成一條向上攀升的曲線嗎？值得共勉之！

第四部　擬定行動的策略

17 行動別被自以爲是「恐固力」

孔子說過：「知之為知之，不知為不知，是知也。」在現實生活中，大多數的人都不願意說出「不知道」這三個字，深怕自己這麼說了以後會被輕視，更怕自己沒有面子。其實，對自己不知道的事情，坦率說出來反而容易贏得別人的敬重，也讓自己有一次再學習的好機會。

老子曾經說：「知人者智，自知者明。」但在現實生活中，雖然大部分的人幾乎都認為自己很了解自己，其實並不如此。

我們經常把別人的事情看得一清二楚，而自己的致命弱點卻視而不見。但是一個真正成功的人，往往是借助他人來更加瞭解真實的自己。在希臘的古城特爾斐（Delphi），阿波羅神殿的碑銘上刻著幾個大字：

「**認識你自己。**」這句名言就被後世的哲學家、智者
代代相傳。

⊙ 不要讓自以爲是遮住雙眼

一位猶太大師即將離開人世的時候，弟子們都來
到病床前與他訣別。他們站在床前，最聰明的學生站
在最前邊，靠近大師的頭部，最笨的學生就排到了大
師的腳邊。大師逐漸只剩下一口氣了，最聰明的學生
俯下身，輕聲問大師：「先生，在您即將離開我們的
最後時刻，能否請您以簡潔的語言告訴我們：人生的
真諦是什麼？」

大師好不容易用了最後的力氣，從枕頭上微微抬
起頭來，喘息地說道：「人生就像一條河。」第一位
弟子轉向第二聰明的弟子，輕聲說：「先生說了，人
生就像一條河。向下傳。」

第二聰明的弟子又轉向下一位弟子說：「先生說
了，人生就像一條河。向下傳。」就這樣，大師箴言
在弟子間一個接著一個地傳下去，一直傳到床腳邊那

個最笨的弟子那裡，笨弟子開口說：「先生為什麼說人生像一條河？這到底是什麼意思呢？」

他的問題被傳回去：「那個笨蛋想知道，先生為什麼說人生像一條河？」

聰明的弟子止住這個問題。他說：「我不想用這問題去打擾先生。其實這句話的道理很清楚：河水深沉，而人生意義深邃；河流曲折迴轉，人生坎坷多變；河水時清時濁，人生則是時明時暗。把這些話傳去給那個笨蛋。」

這個答案在弟子間接連傳下去，最後傳給那個笨弟子。但是他還是堅持提問：「我不想知道那聰明的傢伙認為先生的這句話是什麼意思，我想知道的是先生自己的解釋。『人生就像一條河』這句話，先生到底想要表達什麼意思？」

聰明的學生只好極不耐煩地再次俯下身，對處於彌留的大師說：「先生很抱歉，班上最笨的學生要我再請教您：您說人生就像一條河，到底是什麼意思？」

學識淵博的大師好不容易擠出最後一點力氣，抬起頭說：「那好，人生不像一條河……」說完，雙肩一聳就過世了。

假設猶太大師在回答笨學生的傻問題之前就死去，那句「人生就像一條河」也許就會被演繹成一套深奧的人生哲學。忠實的門生可能會走遍世界，傳播他的智慧；或許也有人會為此寫出很多著作，錄製許多光碟流傳後世。

你是不是也常常就像那個聰明學生一樣，自以為是地多此一舉，做了很多錯誤的事情和決定呢？

◉ 坦率承認自己的不知道

古希臘著名哲學家蘇格拉底曾說：「以我來說，我所知道的一切，就是我什麼也不知道。」蘇格拉底以最平實的話語表達他想不斷學習的強烈欲望，那我們呢？你有勇氣承認自己的不足，進而不斷地再自修嗎？還是只限在自己的小框框裡，用自己僅知的經驗來做事呢？

　　孔子說過：「知之為知之，不知為不知，是知也。」在現實生活中，大多數的人都不願意說出「不知道」這三個字，深怕自己這麼說了以後會被輕視，更怕自己沒有面子。其實，**對自己不知道的事情，坦率說出來反而容易贏得別人的敬重**，也讓自己有一次再學習的好機會。

　　心理學家曾指出，平時動不動就說「我知道」的人，其實並不善於與人交往，也比較不受人歡迎。反而敢說「我不知道」的人，所顯示出的是一種富有想像力和創造性精神的表示。如果我們承認對某個問題需要思索，甚至說出自己根本一點也不懂時，我們的創造力和想像力便會因此受到刺激，進而大大改善。

　　而且當我們勇於承認自己的不足時，會留給人非常誠實的印象；敢於直接了當地當眾說不知道的人，反而令人十分佩服。當你說出其他的觀點時，說服力就會相對提高，因為你是一個值得信賴的人，無形中就替自己加了分，也開拓了你的人脈存摺。

▶ 不斷開發自己的潛能

愛因斯坦曾說過：「如果每個人都充分挖掘了自己的潛能，那麼每個人都能成為科學家。」處於 35 歲前後的我們，在職場工作的經驗說多不多，不過也不能算少，但是如果懂得挖掘爆發自我的潛能，不斷向前超越，便能取得一個又一個戰勝自我的勝利。

國際巨星成龍出身於一個貧寒的家庭，父母只是一般的打工階層，所以能給成龍的資源相對不多，但成龍之所以現在能集編、導、演於一身，甚至有一口流利英文，在影壇發光發亮，這都是他在漫長的時間裡，不斷地克服艱苦環境、自我努力摸索和不斷發掘自己潛能的結果。

在我們一次次實踐自己以為的潛能時，一定會面臨到失敗和根本不可行的情況。但請別忘了，每一次的摸索就代表了一次的學習、一次寶貴的經驗，我們可以接受失敗，但一定不要放棄無限的希望。

許多人常常半途而廢，但更多時候只要再多盡一

點點力氣，再更堅持一下子，成功的果實就在眼前。
人們之所以如此幾乎都是缺乏毅力，所以別忘了，每
當我們想放棄時，更要提醒自己人生猶如四季的變
遷，此刻不過是短暫的冬季而已，若冬天來臨，春天
還會遠嗎？不斷**發掘自己的未知，就有不斷成功的契
機，**而這些都要 35 歲前的你從說「不知道」開始做
起喔！

18 勇猛衝鋒，
也要懂得激流勇退

聰明人懂得在成功時激流勇退，在輝煌時褪向平淡，懂得何時不該再分享別人的富貴，免得從高處摔下來。而那些不知進退的傢伙，當然就難有好下場，這事怪不得別人，誰讓他不識時務呢！

　　相信你絕對被教育過，做事要有恆心和毅力。諸如「只要努力，再努力，就一定可以達到目的」、「堅持就是勝利」……這類的話，似乎已經成為亙古不變的至理名言。這些話其實並沒有錯，但前提是，努力、前進的方向必須是正確的，你所走的道路要是適合你的；否則，不但不會勝利，反而會離目標越來越遠。

　　就是因為按照「不惜代價，堅持到底」的準則做事，所以我們才會常常遇到挫折和負疚感。也因為這

些害人不淺的教條，使人們變得即使有捷徑也不走，而且還去簡就繁，並以此為美德，加以宣揚。反而那些中途放棄的人，會令周遭認為是「半途而廢」。

▶ 撤退正是智慧的體現

業務人員就往往會被客戶以「再說吧！」這種敷衍的回答方式逐漸毀掉前程。

35 歲前的你在與客戶洽談時，是否有過力圖掌控局面，但客戶的答案卻都只有「再說吧！」的經驗；而公司檔案夾上是不是也大多標注著「容後再議」。你是否日復一日滿懷希望地與客戶聯絡，雖然毫無所獲，卻還以此為榮。

你是不是認為，只要堅持不懈地與客戶一而再、再而三地聯絡，憑著執著，就一定會達成交易；認為毅力一定能瓦解客戶的拒絕。可惜事實往往卻不盡如人意。

這種堅韌不拔的精神其實並沒有任何價值。舉凡收入豐厚的傑出業務員都只是盡快行動，要求客戶給

出明確的「是」或「不是」。這樣他們才不必在已接觸的客戶身上花費太多時間和精力，而能及時投身到下個客戶身上。因為他們明白不論把銷售講得多麼複雜，它都只是一個數字遊戲；能很快瞭解誰對你說「不」，就可以聽到更多次的「是」。

愛迪生在歷經近一萬次的實驗後，終於發明了電燈。當時成功學激勵大師拿破崙‧希爾曾經訪問過他：「如果第一萬次實驗失敗了，你會怎麼辦？」

怎知愛迪生只淡淡地回答：「那我就不會在這裡與你談話了，此刻我會把自己鎖在實驗室中，做第一萬零一次實驗。」

這個小故事常被談論「進取」的演說家用為堅韌不拔的典型例證。他們會說：「每次你打開電燈的時候，就可以感受到愛迪生是一個毅力非凡的人。」這實在是個無稽之談，我們感受到的應該是：愛迪生是用科學方法進行發明創造的科學家。

拿破崙‧希爾所沒有表達出來的，也許是他認為人們可以自己領悟出來：愛迪生並不是把同一個實驗

做了一萬次。而是他做了一萬個不同的實驗，也就是他做了一萬次假設，而且發現不對就馬上放棄。愛迪生其實是做了一萬次的半途而廢。

雖然做事要勇猛前進，但 35 歲前的你還是要懂得適時撤退。

在球場上就常常可看見因為教練固執，而使整個球隊輸掉比賽：中場休息前時，球隊已輸了 28 分，球員都被對手修理到不知該如何再打下去。教練卻無視球隊的問題，甚至還對著現場播報員大嚷：「我們會按原計劃打完比賽，隊員只是需要再加把勁。」絲毫不覺原計畫已經不靈光，隊員都被打得七零八落，還照著原訂計畫前進，結果可想而知。

盲目地堅持己見向前衝並不是勇猛，只能說是呆板和愚蠢。

的確，**前進需要勇氣**，然而，**後退就需要更大的勇氣**了。當你發現自己最後走的將是錯路時，就應該果斷地撤退。

半途而廢並不是懦弱，相反那是一種勇氣，這是一種戰勝自我、超越自我的勇氣。你捨棄的是無法實現的理想，卻點燃了另一個新生命的開始。看似放棄，其實正是智慧的體現。

▶ 識時務者須知進退

35 歲前另外要學會的是懂得看清：人往往可以同患難，而不能共榮華富貴。如果你是個聰明人，就最好有點老實的精神，不貪名，不逐利，更不要與人共富貴。

還記得「兔死狗烹」的成語嗎？

春秋戰國初期，謀士成林，人才輩出，范蠡堪稱當時的一朵奇葩。他幫助越王勾踐擊敗吳王夫差。稱霸江、淮，成為爭雄於天下的一霸。范蠡也因謀劃有功，官封上將軍。

但滅吳後，越國君臣設宴慶功，勾踐卻面無喜色。范蠡觀察到此細節，便立刻思索：勾踐如今功成

名就，可能不想歸功於臣，猜疑嫉妒之心已見端倪。
如不及早激流勇退，日后恐無葬身之地

於是，范蠡便不辭而別，帶領家屬浪跡天涯，隱
於江湖。後來，還勸說同僚文種：「狡兔死，走狗
烹；飛鳥盡，良弓藏。越王為人……可與共患難，不
可與共榮樂。」可惜文種已遭王忌，被勾踐誣說圖謀
作亂賜死。

由此可見，懂得在功成名就之時，激流勇退，便
不會給自己帶來太多的隱患與煩惱，這才是真正明智
之舉。

漢初三傑之中，蕭何遭受了鐺鋃入獄的凌辱，韓
信落得悽慘下場，只有張良不但保留了清名和家人，
還恢復了自由之身。

張良之所以能不枉活一生，成為千古良輔，不僅
在於他有運籌帷幄、決勝千里的膽識和氣魄，更在於
他有適可而止，功成身退的精神。

很多人在成功時激流勇退，在輝煌時退向平淡，

就表示自己不想再分享別人的富貴，免得從高處摔下
來。而那些不知進退的傢伙，當然就難有好下場，這
事怪不得別人，誰讓他不識時務呢。

　　所以在 35 歲前你要學會，不僅在事業上，在人生
道路上勇猛衝鋒，還要懂得在遭時不遇的時候，適時
地半途而廢；更要在成功的時候，能夠激流勇退。

第四部　擬定行動的策略

19 丟掉舊包袱，挑戰新極限

我們不能永遠安於現狀，思維不要侷限於一定的框框中，這才是我們能夠不斷創新的動力……變化，就是機會出現的時候；在努力掙脫束縛，卻發現實在難以完成時，應該轉變一下思維方式，從另一個角度看，從另一條管道擺脫，多次試探之後，無形的牆就會自動消失了。

「沒有機會」通常是那些不懂得追求美好生活方式的人用來推諉的言辭，看看社會上許多名人之所以能活得比一般人瀟灑，就是因為他們明白自己的生活必須要不同於眼前的環境才能實現，他們都懂得自己去創造機會。

你可曾想過幸福而活躍的人生是如何得來的呢？

當亞歷山大東征獲得勝利以後，有人問他：「你

是不是等待一種機會才去進攻的。」

他聽了頓時大怒起來說：「**機會是要人自己去創
造的。**」

▶ 突破常識的束縛

創造機會，使亞歷山大成就他的事業。因此只有
能改變環境、創造機會的人，才能達到他的期望，實
現他的人生意義。

要是你只背負著舊有的包袱，等待機會，等人提
拔，那麼你一生將永遠不會比別人活得更好。

其實只要不受固有主見和常識的影響限制，勇於
突破就沒有不可能的事。

亨利‧福特所建立的汽車王國，常把許多新創意
用於企業經營，並具有豐富的獨創性。但在他與員工
開會時，技術人員總會說：「董事長，那是不可能
的。從理論上來說，根本不可能呀！」而且越優秀的
人，越有這種傾向；不過，事實往往證明那些不可能

都是可能的。因此,他曾說過:「技術愈好的員工,愈有『不可能』的理論。」

從古至今,福特的這句話一直被驗證著。日本室町幕府時代,年輕的織田信長帶領老臣們,與今川義元的大軍引爆大戰。

老臣都勸信長採取守城策略,但信長卻說:「我絕對不會坐以待斃,你們不迎戰,我就一個人去。」說完便單槍匹馬地衝出去。

眼看主君涉險,老臣只好趕緊上馬直追;雖然行動倉促、人數有限,但因眾人團結,加上奇襲奏效,反而令今川軍無法反應,信長軍輕易獲勝。

織田信長的故事與福特有著異曲同工之處。福特雖不像信長那樣莽撞,但發揮創意並加以實行,就與信長「英雄所見略同」。

俗話說「窮則變,變則通」,遇到困難時,不要洩氣。以 10 年來成功專營女性客層的衣蝶百貨為例,過去由於在新光三越及其他大型日系百貨的衝擊下,業

績每年平均短少 1 億元！

　　「被迫」提早看見台灣百貨同質化問題的衣蝶，卻是抱著破斧沉舟的決心轉型，拋棄它舊有的包袱，專心做「女人生意」，更從國外引進同業未見的品牌，並擴大獨特的自營品牌數量，鎖定 18 至 35 歲的年輕族群，專心做「三十貨」公司。這個轉變讓衣蝶從台灣的百貨叢林中，成功走出自己的路。

　　不要被自己的想法、主見與既有的知識所束縛，而是應該從這種觀念中走出來，重新坦誠地檢討事態，從疑問中找尋可行的創意，或是逆向思考發現意想不到的新方法，再把它發揚光大，產生出嶄新的局面。這是 35 歲前的你應該學會的。

◉ 因循守舊只會一事無成

　　做人就是要有這種甩開舊包袱、擺脫束縛的魄力，不論你從事的是何種行業，都應該敏銳地觀察世態變化，思考融會後，才能產生新的觀念；更重要的是，要從新觀念產生新的工作方式。因為想要成功，

就必須先有日新又新的觀念，有不拘泥於過去的思想和作法。35 歲是人生的第一個重要關頭，無論處於事業的高峰或轉折處，最重要就是不斷挑戰自我極限，才能創造成功與致富的契機。

商朝始祖商湯，曾在盤子上刻著「苟日新、日日新、又日新」9 字，在現今年輕世代的眼中，或許會認為這是千年老調，但其字句裡蘊藏的意涵，是不隨時光荏苒而變得落伍。唯有抱著日新又新的眼光，觀察每一件事情，隨時因應潮流趨勢成長，思想愈變愈新，才能應付快速變異的社會。

美國實業家羅賓‧魏勒（Robin P. Von Weiler）曾說：「**成大事的祕訣很簡單，就是做一個永遠不向現實妥協，且不斷創新的叛逆者。**」

早期，短筒皮靴成為全美流行時尚，工廠紛紛趨之若鶩地搶製。經營小皮鞋工廠的羅賓，深知自己根本不足以和同業抗衡。

經過一番思考，羅賓決定在工廠召開改革會議，要求旗下工人各竭其能地設計新鞋樣，還制定獎勵辦

法：凡鞋樣被採用者，獲獎金得 1000 美元；鞋樣經過改良、被採用，可獲 500 美元獎金；即使設計不被採用，但只要別出心裁也可獲 100 美元獎金。

同時，羅賓還成立設計委員會，每月另支付 100 美元請 5 名熟練的造鞋工人擔任委員。

工廠立即掀起設計熱潮；不到一個月，就收到 40 多張設計草圖，委員會採用其中 3 款加入生產線，送往各大城市推銷。

對短筒皮靴漸失新鮮感的顧客，面對這些新設計，開始掀起一股購買熱潮，讓羅賓的皮鞋工廠收到龐大訂單。羅賓也逐漸擴大經營規模，3 年後，他已擁有 18 間規模龐大的皮鞋工廠。

隨著工廠規模變大，儘管羅賓再怎麼提高工資，卻仍缺乏熟練的技工。面對可能因為無法及時供貨，而造成的巨額違約損失。憂心忡忡的羅賓，將工人全部召集起來，希望能集思廣益，想出解決的辦法。

有位年輕工人怯生生地站起來表示：「雇不到工

人沒關係,我們可改用機器來製鞋呀!」雖然旁人的嘲笑聲此起彼落,但羅賓卻挽著這個工人,走回臺上說道:「這孩子沒有說錯,雖然他還沒有做出可製造皮鞋的機器,但這個辦法卻很重要,只要我們圍繞這個概念想辦法,相信問題定會迎刃而解。我們**不能永遠安於現狀,思維不要侷限在固定的框框中**,這才是我們能夠不斷創新的動力。」

經過 4 個多月研究和實驗,時時保持銳意創新精神的羅賓,終於發明製造皮鞋的機器,不僅解決人力不足的問題,也讓羅賓・魏勒的名字,在業界揚威。

▶ 突破求險求奇的迷思

相信有許多人會認為,財富與成功只能透過冒險、創新和奇特的方式才能獲得;一些具有穩健性格的人,便據此認為自己不大容易成功。實際上這又陷入另一種固舊思維中。

即使沒有新技術,沒有新發明,沒有創新優勢,也會有成功的時候,只要你**把最基本的事情做好**。

　　沒有什麼比一個只賣三明治的「SUBWAY」更簡單的，然而，它就是知道簡單的魔力。在大多數速食業因市場飽和而競爭激烈的時候，它的生意卻蒸蒸日上。1965 年，第一家 SUBWAY 成立，資金只有 1,000 美元；現在，它的連鎖店數量在美國僅次麥當勞，居全美第二。它用的都是簡單普通，沒有什麼新奇的策略：新鮮的冷肉和配料，現賣現烤的麵包，甚至還沒有自己的獨特醬汁。像這樣的經營，**任何人都可以把自己的小生意做成全球性的商業帝國，完全不需要創意，只要你把該做的事做到好。**

　　35 歲的你，或許正在為家庭打拼，可能身在職場的關鍵時刻，甚或是處於該不該自主創業的抉擇。絕對不要存有一種甘心為現狀束縛，不知改變生存環境的思維習慣。應該讓消極的「我不行」、「不可能」等口頭禪消失，否則會把自己的志氣耗盡了。

　　一定很多人有過思路好像身陷迷宮之中走不出來，永遠找不到那個夢寐以求的出口；於是，就停滯在出口之內「昏睡」過去的經驗。思路的不暢，如果單從思路上找原因只能死路一條。

　　為了要打破現狀，你不得不改變。**改變，就是機會出現的時候**；在努力掙脫束縛，卻發現實在難以完成時，應該轉變一下思維方式，從另一個角度看，這個束縛是不是自己虛設的，是不是已經被打破，而自己還認為它仍然存在？我們是不是可以「金蟬脫殼」，從另一條管道擺脫它，給自己的一個突破心態，也許出路就在眼前。

第四部　擬定行動的策略

20 轉個彎，路更寬

無論在生活還是工作，當我們遭遇「瓶頸」不能
自拔時，試著換個角度看問題，往往問題就會
迎刃而解，心情也會跟著愉快起來。

　　現實中幾乎每個人都會遇到煩惱或困難，沒考上
理想的學校、失戀、失業等等，有的人就會想不開，
陷入煩惱悲傷中。其實，凡事都有兩面，事情的好壞
取決於你怎麼看，有時候，只是換個角度，換個心
境，同一件事看起來就會大不相同。

　　無論在生活還是工作，當我們遭遇「瓶頸」不能
自拔，試著換個角度看問題，往往問題就會迎刃而
解，心情就會跟著愉快起來。

　　你是不是常懷疑，同樣的事情，相同的問題，為

什麼在不同人眼中就會有不同的景象？這決定於人的思維方式。如果我們看問題總是從負面出發，那麼就永遠看不到積極的東西，甚至有時候還會把一些小錯誤、小問題無限放大，甚至完全否定自己，結果只會讓自己更消極。

▶ 逆向思考

請在 35 歲之前，養成不要只從一個角度來看一件事的態度吧。有些時候，當我們順著一個思維模式在考慮問題，苦思不得其解，其實只要順著相反方向去思考，往往就豁然開朗，找到解決的辦法。

祕書恭敬地把名片交給董事長，一如預期，董事長不厭煩地把名片丟回去，祕書無奈地把名片退回去給立在門外尷尬的業務員，但業務員不以為杵地再把名片遞給祕書說：「沒關係，我下次再來拜訪，所以還是請董事長留下名片。」

拗不過業務員的堅持，祕書硬著頭皮，再進辦公室，董事長火大了，將名片撕兩成半，丟回給祕書。

祕書楞在當場，董事長更是氣得拿出十塊錢：「十塊錢買他一張名片，夠了吧！」

豈知當祕書還給業務員名片與銅板後，業務員很開心地高聲說：「請你跟董事長說，十塊錢可以買二張我的名片，我還欠他一張。」隨即又再掏出一張名片交給祕書。

突然，辦公室裡傳來一陣大笑，董事長走了出來，「這樣的業務員不跟他談生意，我還找誰談？」

相信這是業務員常會碰到的情況，但如果光靠修養或平常訓練，相信即使是百萬銷售的超級業務員也會有倒地不起的一天。

能從別人設下的困局跳脫出來的這名業務員，有一個特質就是逆向思考，當他不順著設局者的邏輯思考，而以另一個角度來看，便能出自己的招，破解對手的招數。

懂得變通就是要學會從多方面考慮問題。因為條條大路通羅馬，要辦成一件事，方法並非只有一個。

說是阿 Q 或三八都好，重點就是要做個完全自我的主
宰者。

▶ 換個角度換重天

　　馬克‧漢森經營建築業失敗而破產，最後只得退
出建築業。相信有很多人喜歡看到馬克如何重返建築
業，一步一步地再次爬上成功頂峰，這樣令人歡欣鼓
舞的故事。如果馬克確實用一生精力去這樣做，那這
將是一個關於恆心和毅力的傳奇故事。

　　只不過馬克不是這樣。他徹底地退出建築業，忘
記有關建築的一切知識和經歷。他決定在截然不同的
領域創業。很快地，他就發現自己對公眾演說有獨到
的領悟和熱情，他也看見這是個容易賺錢的職業。於
是他成為一個具感召力的名講師，終於他的著作《心
靈雞湯》系列登上紐約時報的暢銷書排行榜，引起全
球熱烈迴響，系列作品更被翻譯成數十種語言流傳。
馬克從此成為富翁，看到的是一片更大的天空，只因
為他換了一個看天的角度。

在處理問題時，我們往往習慣性的按照常規去思考，但是如果能學會靈活變通，**換一個角度看看**，那麼你會發現「柳暗花明又一村」，**天空其實更廣闊**。

▶ 結果不同只是思維的差別

生活中我們還會遇到這種事：一個人辦不成的事，另一個人卻輕而易舉地辦成了。這不在於態度，也不在於辦事者的喜好，只是在於思維決定說話方式的那一點差別。

信徒甲和乙在禪學大師家中的花園散步，大師要他們每天早上或晚上都要散步。因為散步是一種靜心方式，正如習禪的人禪坐靜心一樣。

但這兩個人是老菸槍，所以他們想請求大師允許他們吸煙，他們認為「最多就是大師說不而已。」

第二天他們在花園碰面，信徒甲人非常憤怒，因為乙正在抽煙。於是他說：「到底怎麼回事？昨天我問過大師，但他很直接地拒絕了。你怎麼可以抽煙呢？難道你不聽從他的教導？」

怎知乙回答：「但是大師對我說可以。」

聽起來似乎很不公平，所以甲說了：「我要馬上去問為什麼大師對我說不可以，對你卻說可以。」

乙趕緊攔下甲：「等等，請先告訴我，你是怎樣問大師的。」

甲回答道：「我很簡單地問大師：當我在靜心的時候能抽煙嗎？大師就用很嚴厲的語氣說：不行！」

聽到這裡，乙開始笑起來：「我知道怎麼回事了。因為我是問：在我抽煙的時候能不能靜心？大師就高興地說：行！」

這故事的差別是什麼？是結果的差別，是提問方式的差別，也正是思維模式的差別，更是**你是否具備突破常規、求新求變的心態差別。**

在這訊息萬變，充滿不確定的環境中，有時我們需要的不是朝著既定方向的執著努力，而是在隨機應變中尋找求生的道路；不是對規則的遵循，而是對規則的突破。我們不能否認執著對人生的推動作用，但

也應看到，在變化的世界裡，靈活機變的行動要比有序的衰亡好得多。

執著與變通就是這樣兩種不同的人生態度，不能說哪個好哪個不好。單純的執著與單純的變通，二者都是不完美的。只有二者相輔相成才能達到最後的成功，我們要學會的是執著與變通二者兼顧。

所以在 35 歲前能夠從不同角度看待問題，懂得隨機應變、因時制宜地用不同方法處理問題，你就會得到不同以往的結果。

第四部　擬定行動的策略

21 以平常心看世界

人生充滿了變數，你永遠無法知道明天會發生什麼，所以面對人生的各種遭遇，應該以怎樣的態度來對待它呢？或許每個人的心中都有自己的選擇，但是你如果想要成功，就應該用平常心來笑對人生遭遇。不是我們不在乎，而是要以笑來告別不幸，以平常心迎接希望……

　　人生，這兩個字真的太複雜，說不盡，道不完。有的人苦於人生短暫，幾十年如白駒過隙，彈指一瞬間，就要了卻此生，悲從中來。而有的人，覺得人生長路漫漫，沒有盡頭，苟活於世，徒增煩惱，生不如死。這兩種人的人生態度都是消極的。前者把一切看得太重，後者似乎什麼都看開了，其實什麼都沒有看開，只好發出無奈的慨歎。

　　你所無法迴避的一個現實是，每個人的一生都充滿了挫折，都有很多煩惱。因為我們有太多的欲望，當這些欲望無法實現的時候，煩惱就產生了。叔本華認為人生是痛苦的旅程，從降臨人世的那一刻起到生命的終結，無時無刻不在忍受著痛苦。就是因為叔本華的痛苦主義哲學才影響了很多在人生十字路口徘徊的年輕人。

▶ 把呷苦當做呷補

　　其實挫折與打擊在生活中是不可避免的，但選擇什麼樣的心態和方法去面對，就會對生活產生截然不同的兩種結果。看不開的人會因此沒有快樂，一生都要背負著痛苦的十字架；只有看得開的人，不以物喜，不以己悲，努力做自己的事情，失敗了懂得自我安慰，傷心的時候想開心的事情，才會從中尋找到更多的快樂，也容易產生幸福感。

　　西方有句諺語：「沒有人會踢一隻死了的狗。」不過，如果狗愈重要，踢牠的人就愈能夠感到滿足。

有哪個人曾經被罵作「偽君子」、「大騙子」和
「只比謀殺犯好一點點」呢？報紙的政治漫畫，甚至
畫著他站在斷頭臺上，大刀正準備把他的頭砍下來；
從街上走過時，還有一大群人圍著他又叫又罵。他是
誰呢？就是美國國父喬治·華盛頓。

當你取得一些非凡成就時，也許會遭到旁人的嫉
妒之心，因而引來批評甚至譏罵。你沒有必要被它擊
倒，這種困境應該對你產生激勵的力量，因為這恰恰
證明了你是非同一般的人。

當我們**真的有缺點和錯誤時，批評是一種呵護和
關愛，我們應欣然接受並滿懷感激**，從而改正不對的
地方。至於那些出於嫉恨的無理指責和批評，則不妨
還它一個淡淡的微笑。同樣的，挫折和痛苦就把它當
作補藥看待，它激發出我們的潛能，不僅能有效地化
解困境，也會使我們走上通往更輝煌之處的道路。

▶ 隨緣而不隨便

人生是這樣充滿了變數，你永遠無法知道明天會

發生什麼。那麼面對人生的各種遭遇，應該以怎樣的
態度來對待呢？消極地逃避，還是勇敢地面對？

　　或許每個人心中都有自己的選擇，但是你應該要
很清楚，如果想成功，想要付出有得到回報的一天，
那麼你就應該以平常心笑對人生所遭遇的一切，大喜
大悲，大起大落，苦辣酸甜，一切付諸談笑間。不是
我們不在乎，而是要**以笑來告別不幸，以平常心來迎
接希望**。因為我們無法改變世界，但至少可以改變自
己。

　　凡事都有兩面。當你失去某件東西時，必然會得
到另外一件東西，雖然失去的很珍貴，但誰知道你得
到的東西不比你失去的東西更珍貴呢？凡事看開一
點，這是 35 歲前的你必須學會的處世哲學，既然已經
發生了，我們就要坦然地接受。

　　俗話說，是福不是禍，是禍躲不過。當不可預料
的打擊降臨時，當我們無法改變悲劇的時候，那麼我
們就要好好地欣賞悲劇吧。我們**無法改變世界，但至
少可以改變自己**。凡事看開一點，保持樂觀豁達的心

胸是我們前進的動力。

我一向很喜歡禪宗的小故事，因為短短的文字，總蘊藏了深深的大道理：

禪院裡草地枯黃了一大片。「快撒點種子吧！好難看哪！」小和尚說。

「等天涼了。」師父揮揮手：「隨時！」

秋天，師父買了一包種子，叫小和尚去播種。秋風起，種子邊撒邊飄。「不好了！好多種子都被吹飛了。」小和尚喊。

「沒關係，吹走的多半是空的，撒下去也發不了芽。」師父說：「隨性！」

撒完種子，就飛來幾隻小鳥啄食。「要命了！種子都被鳥吃了！」小和尚急得跳腳。

「沒關係！種子多，吃不完！」師父說：「隨遇！」

半夜下起大雨，小和尚一早便衝進禪房：「師父！這下真完了！種子都被雨沖走了！」

「沖到哪兒,就在哪兒發!」師父說:「隨緣!」

一個星期過去。原本光禿禿的地面,長出許多青翠的草苗。就連原來沒播種的角落,也泛出了綠意。

小和尚高興得直拍手。 師父點頭:「隨喜!」

隨時、隨性、隨遇、隨緣、隨喜,這是多麼豁達的人生觀啊!**隨不是跟隨,是順其自然**,不怨懟、不躁進、不過度、不強求;**隨不是隨便,是把握機緣**,不悲觀、不刻板、不慌亂、不忘形。

人們多少也會有順其自然的想法,但是真正能夠把握機緣的並不多。隨遇而安是坦然的態度,但是遇到好的機緣一定要能把握住。更難得的是把握機緣之後,還能不強求、隨喜。

▶ 做人要有幾分淡泊

可惜人們多是生而有欲又從不加以限制,於是,無休止的競技爭鬥和自我欲望的無限膨脹也就應運而生。有人將獲取無限財富,並躋身於世界富豪排行

榜，視做一生的奮鬥目標；有人聲色犬馬、日耗斗金，過著奢靡的生活；還有人為了出人頭地，以至於竭思盡慮、無所不用其極⋯⋯

其實人生不過短短數十載，以往你可能比較注重在不斷地奮鬥、獲得，扼住命運的咽喉並與之抗爭，但卻相對忽略了充分地體會人生，細細地咀嚼生命中的每一時刻。

做人就是要有幾分淡泊，太多的欲望會讓你痛苦不堪。《菜根譚》中有幾句話便說得很好：「花看半開，酒喝微醉，此中大有佳趣。若至爛漫爛醉，便成惡境。經歷盈滿者，慎思之。」

以平常心看待世界，凡事適可而止，欲念只求適度而已，不宜過火，太過猶如不及。對事情過分追求，效果反不美。不如放寬胸懷，追求另一種殘缺的美，這更能將美發揮的淋漓盡致。僵化的概念，只會把自己活生生地鑽進死胡同，生命遂變成呆板乏味。正如打油詩〈莫生氣〉所說的：「人生就像一場戲，因為有緣才相聚」不要過份的認真或操心。

　　做人就是要以平常心看世界，平常心是對人生的
坦然，坦然面對生命中的得失；平常心是種豁然，豁
然對待人生的進退；平常心是一種珍惜，珍惜眼前不
好高騖遠。 35 歲前**懂得平常心才可以讓你真正地享
受人生，在努力中體驗快樂，在平常中充實自己**，真
正把自己的本色演繹精采。

35x33

第五部
勝出職場的金鑰

你的人生擁有幾把金鑰？
老天爺給了人們三把金鑰，
前兩把是「家世」與「學歷」，
它們可以讓你很容易進入成功者俱樂部。
如果擁有前兩把金鑰的機會已經失去，
那麼取得第三把金鑰的主控權就在你身上，
「態度」便是剩下唯一能使你勝出的金鑰匙。

但即使你擁有學歷、家世的優勢，
一旦放棄了「態度」金鑰，
仍將讓你在職場裡浮沉，甚至淪為失業大軍的一員。

第五部　勝出職場的金鑰

22 戴上專業的假面

「專業」是職場求生必備的條件及利器，不論你的年紀大小，最好趁現在開始，努力讓自己具有專業的新形象，才不會讓身價隨年紀增長而貶值。……實際去改變，就能正視生活及個性上的缺憾，不管原來的你是什麼樣子，都會因改變形象打開另一條人生道路。

「專業」可說是職場求生必備的條件及利器，不論你的年紀大小，最好趁現在開始，努力讓自己具有專業的形象，才不會讓身價隨年紀增長而貶值。

現今社會失業率高居不下，在職場上如果缺乏了專業就等於失去競爭的優勢。那麼該如何打造專業，除了累積工作經驗、進修相關知識外，塑造新「形象」更是刻不容緩。

▶ 要以貌取人

雖然有句俗話說：「人不可貌相」，但是在這個講求品質、更注重包裝的時代，「不以貌取人」的觀念已經落伍了。你的外表將會是讓你的內在與外界溝通的橋樑，得體的打扮，雖然無法保證在工作生涯必然成功，但不得體的外表穿著卻注定走向失敗。

在我帶領的部門中，有位跟我同期進公司的女同事，其實工作能力很強，與同事相處也都很融洽，唯一美中不足的一點是：她的外表實在有點邋遢，不懂得整理自己的儀容。既不喜歡化妝，似乎也對自己的不修邊幅的裝扮毫不在意。

每每只要遇到公司有重要的 case 讓她接洽，我總擔心客戶會以貌取人，認為我們是一家不注意形象，不專業、不敬業的公司。而她也常常搞不懂為什麼自己明明工作很認真努力，身邊的同事一個個都加薪升職，但升遷卻永遠輪不到她？

其實，誰都看得出來，這是因為她不得體的外表

實在很吃虧，而不是工作能力的問題，可是誰能開口
告訴她呢？

　　年屆 35 歲的你，外在形象是否能說出你豐富的內
在呢？一個人的內在即使很專業，而外在卻不夠專業
或毫不在意，都會直接影響到別人的肯定；因為人會
直覺地感受到一個穿著邋遢、搭配單調、對自己的體
型有那些特點都不了解，甚至衣著不看場合的人，實
在很難相信這是個有智慧、對自己的專業領域能掌
握、平時對環境變化會有 sense 的人。

▶ 外在決定你的內在

　　美國加州柏克萊大學心理學教授雅伯特・馬布藍
(Albert Mebrabian)曾提出著名的「7/38/55」定律，證
明了旁人對你的觀感，只有 7% 取決於談話的內容；
而有 38% 在於輔助表達這些話的方法，也就是口氣、
手勢等等；卻有**高達 55% 的比重決定於你看起來夠
不夠份量、夠不夠有說服力**，簡而言之，也就是你的
「外在形象」，穿對服裝就像說對了話。

可見在專業形象的塑造上，外在的重要性還比內在更勝一籌。因為如果外在不細心修飾，那麼一個人的內在永遠都只呈現了 7%。反之，只要你的外在形象得宜，那麼 7%的內在就可以延展出力道，換句話說，**同樣的你，可以看起來像 100 分，也可以看起來只有 7 分，端看個人的智慧了。**

所以說你的外在形象，正是讓內在得以與外界溝通的橋樑，唯有恰如其分的外在形象方能正確無誤地將內在的訊息傳遞出去。聰明的你，何不藉由適當的穿著讓你的真材實料得以彰顯，同時也讓傑出亮麗的外表與內在獨一無二、充滿魅力的你相互輝映，甚至在第一眼就建立起別人對你的信賴與器重，達到表裡如一，內外兼美的目的。

▶ 專業可以靠假面塑造

如果你的外在不管如何塑造都實在是不怎麼吸引人，那麼還好現代心理學有項研究發現，你還是可以透過後天努力加以塑造，也就是所謂「自我意象」的概念。

簡單地說，「自我意象」是指一個人的心理和精神上的觀念，是左右人的個性和行為的真正關鍵，改變自我意象就能改變自己的個性和行為；相對的，「自我意象」同時也限制了一個人的成就範圍，它決定你能做什麼和不能做什麼。如果你擴展了自我意象，就能擴展自己的「潛在領域」，進而開創出新的能量和才華，將失敗轉化為成功。

我一向很佩服那些舞台上的演員們，因為他們扮誰像誰，誰扮誰，誰就得像誰的功力，往往令人拍案叫絕，我想這應該也是他們善於利用自我意象的緣故吧！

記得小時候，我對少女漫畫十分著迷，尤其是對《千面女郎》的主角譚寶蓮更是印象深刻，雖然家境不好，但她有一個天賦，就是只要一站上舞台，戴上那玻璃般的假面，就能搖身一變成為劇中的人物。同樣的，35 歲前的你，也一樣可以用你的自我意象，塑造出一個令人張口結舌的專業形象。

35 歲正處於在職場上打拼事業，家庭趨於穩定的

階段，所以在這之前，你如果能重塑一個專業形象，不受原有的自我意象羈絆，絕對可以替自己加分。

▶ 假的久了也變真

自我意象的形成是建立在自我信念上，絕大部分都是根據過去的經驗累積、成功失敗與否、受挫或勝利，及他人對我們的反應等所堆積而成，特別是童年經驗最易不自覺地形成自我信念。

像不斷挑戰自我、揚名國際的超馬好手林義傑，從小雖然家境貧困，鄰居常常取笑：「再怎麼打拼，林家也出不了大學生。」即使林義傑從小就選擇了長跑，但是那如同利刃的話，仍深深刺激著他，因此他暗自發誓：「我將來一定要念到博士，在你們面前揚眉吐氣！」日後他果真憑著過人的毅力考上大學及研究所。

很多時候，並不是你的頭腦遲鈍或者缺乏基本能力，而是你的自我設限，決定了自己的錯誤和失敗。不是認為「我工作失敗」了，而是認定自己是個失敗

者；不是認為「我戀愛學分不及格」，而是認定自己
就是個不及格的人。先天上就把自己限制住，那麼就
別想要有新的形象出現。

只要你願意，那麼即使是原本特別害羞且怕跟陌
生人交談的人，也可以變成公開演講為生；未曾推銷
過寢具，認為自己「不是那塊料」的小姐，6 個月後
也能成為全國銷售第一名；因為「神經緊張」受不了
每週一次佈道壓力而考慮退休的牧師，現在也能除了
每週佈道一次外，還有三次「外出約談」……

在日常生活中，類似這樣的例子不勝枚舉，全因
他們都做到了一點：在 35 歲前重新塑造一個專業的形
象，實際去改變自我意象，正視生活及個性上的缺
憾。只要你願意，那麼不管原來的你是什麼樣子，都
會因為這項改變而打開另一條人生道路。

第五部　勝出職場的金鑰

23 尋找能同穿一條褲子的麻吉

要想有所成就，便必須有能與他人合作的態度，尋找可以一同打拼的伙伴。只有善於與他人合作，才能彌補自己能力的不足，達到自己原本達不到的目的。

前陣子上映的電影《霍元甲》中有一幕鏡頭讓我十分難忘，那就是影片即將尾聲，霍元甲與日本武士田中決鬥，中毒倒地又重新站起，面對全場群眾的呼喊時，他對好友農勁蓀說，「人活著從來就不是一個人的聲音……」

雖然《霍元甲》的上映引起影壇許多討論，有人批評它說教意味太濃厚，但是我確實從中得到許多啟發。電影中的霍元甲年輕時，意氣風發，總認為自己

能隨心所欲地當「津門第一」，直到好友農勁蓀看不慣其所為離開，霍母和霍女遭敵人仇殺，霍元甲才察覺到原來他從來都只是孤伶伶一人，才重新開始省思朋友伙伴對人生的意義。

的確，不管是個人或團體，都不可能十全十美，均有各自的強項和弱項，所以「**人活著從來就不是一個人的聲音**」，也絕不可能單獨生存於職場社會中。

在現代社會，**單打獨鬥的個人英雄主義早已過時**。是否具備與他人合作的能力，漸漸成為衡量個人價值的標準之一。人與人之間唯有積極展開交流與合作才能互通有無，取長補短，提高效率。而且隨著人們相互依賴程度的加深，合作與團隊精神變得越來越重要。缺乏合作精神的人將不可能成就事業，更不可能成為新時代的強者。

因為一盤散沙，儘管金黃發亮，仍然沒有太大的作用。只有把它摻在水泥中，才能變成建造高樓大廈的水泥柱。唯有把它燒結冷卻，才會變成晶瑩透亮的玻璃。

　　舉凡成功者都有一個重要特質，那就是廣結善緣。任何一個成功，都不是單靠個人力量而取得，往往都要得力於旁人的幫助，得益於良好的人際關係。能夠時時左右逢源，處處如魚得水，自然也就事事順心如意，財源廣進了。

⊙ 朋友多多益善

　　良好的人際關係是經營成功的重要因素，更是一份不可缺少的重要資產和財富。我們永遠不知道哪時會用到平常深植的人脈，但是與人結緣，卻是之後共同合作的契機，取得成功的一個最佳方法。

　　朋友千個還太少，敵人一個也嫌多。在職場上，35 歲正是處於管理者或被管理者的分界嶺，此時在職場的根基尚淺、實力欠厚，最忌諱結冤家。俗話說：冤家宜解不宜結。在沒有原則性分歧、不會帶來重大經濟損失的前提下，不妨處處與人為善、以和為貴。否則，一旦意氣用事、斤斤計較，就會在有意無意間得罪旁人、暗結冤家，為事業發展帶來不利的影響。

曾經看過這樣一則小寓言：

有隻螞蟻不小心被風颳到池塘裡，命在旦夕。樹上的鴿子看到，心生不忍便趕忙丟片葉子到池塘。

螞蟻好不容易爬上葉子，慢慢飄到岸邊才得救。當時螞蟻認為，多虧鴿子救助，便始終記得牠的救命之恩。

過了幾天，森林裡來了一個獵人，正用槍瞄準樹上的鴿子，但是鴿子都沒有察覺。一旁的螞蟻看到了，連忙爬到獵人腳上，狠狠地咬了一口。獵人一痛，子彈就打偏了。鴿子因此逃過一劫，螞蟻也報了救命之恩。

▶ 成大事者善合作

一個人要想在 35 歲之前有所成就，便必須有能與他人合作的態度，尋找可以一同打拼的伙伴。只有善於與他人合作，才能彌補自己能力的不足，達到自己原本達不到的目的。

舉凡職場上能成大事者大多都善於團結身邊的人，他們總是能引導其他人進行合作，或者引導他們聚集在自己周圍，完成共同的工作。他善於鼓舞他人，使他們變得活躍。透過這種種動作，他便能完成單靠自己無法完成的工作。

清末名商胡雪巖，雖然自己沒有讀書不識字，但他卻能從生活經驗中總結出一套胡氏哲學，歸納起來就是「花花轎子人抬人」。因為他善於觀察人的心理，所以能把士、農、工、商各階層的人都聚攏起來，以自己的錢財優勢，與這些人一同奮鬥。由於他長袖善舞，所以別人也常被他所打動，對他產生信任：他與漕幫合作，及時完成糧食上交的任務；與王有齡深交，借其在官場優勢，讓胡雪巖也有了在商場上發達的機會。如此種種互惠合作，才使得胡雪巖能由一個小學徒變成執江南半壁錢業的巨商。

▶ 合作六要件

不過，想要找到可以共同合作打拼的伙伴也不是件簡單的事情，還得講求一定的方法技巧，至少便要

努力做到幾點：

1.主動接近對方，善於交流

在同一個公司工作，我們可以先對同事伸出友誼之手，主動和對方打招呼，把對方原本可能懷有的戒心或敵意化解掉。

因為家庭、學習環境的不同，雙方一定存在某些差異。交流是合作的開端，要把自己的想法切實說出，並且多聽對方的想法

2.設身處地替對方著想

站在對方的角度思考問題，就可以體會他們的想法，從而修正自己的一些不正確做法。這有助於雙方關係的改善。

3.接受他人的獨特個性

每個人都是獨立個體，人人都有特點，不要試圖改變這個事實。接受對方的本來面目，對方也會相對

尊重你。切忌不要強迫別人接受你的觀念。

4.平等友善

即使各方面都很優秀，但也不要太過張狂。因為肯定也有機會碰到自己的弱項，遇到需要幫忙的時候。所以還是跟同事保持友善的關係吧！

5.積極樂觀

心情是可以傳染的，沒有人願意和愁眉苦臉的人在一起，所以即使遇到十分棘手的事，也要樂觀地對夥伴說：「我們是最優秀的，肯定可以把事情完成。」

6.接受批評

一個心中容不下一點批評的人，容易讓人對他敬而遠之。如果我們能把同事當作朋友看待，坦然接受他的批評，相信對方一定樂於與我們一同合作。

能夠與周圍大多數人融洽相處，必定是一個懂得與他人合作的人，而學會與他人合作，也就是增加了

事業成功的籌碼。在職場上,沒有一個人能保證自己永遠強大,所以我們必須在 35 歲前就竭盡全力結交朋友,組成自己堅不可摧的合作團體,或成為某團體中的一員,然後才能借助伙伴的力量尋求無盡發展機會。

第五部　勝出職場的金鑰

24 多喝咖啡少聊是非

喝咖啡沒問題，但聊是非就最好只聽聽吧！把自己的注意力放在工作上，而不是同事間的人事紛擾……在職場與人交往，一定要謹守：不願意當面說的話，也別到處說，當你能做到這點，除了遠離很多是非之外，更可以建立良好的人脈關係。

　　在成就事業的過程中，我們的一言一行都關係著個人的成敗和榮辱，所以平日的言行絕對不可不慎！由於「言多必失」的教訓實在太多了，就算沒有舉例說明，搞不好你自己就有切膚之痛，或是你的周圍也發生過血淋淋的例子。因此，便有不少人把「靜思後語」作為做人處事的座右銘。

　　不妨仔細觀察一下周遭比較成功的人士，相信你

一定會發現，他們絕對能成功管理好自己的嘴巴，不
管在什麼場合都能說話得體，該說時滔滔不絕，不該
說話的時候，就一句話也不多說。

▶ 別愛當「數字周刊」

　　很多人喜歡在私底下嚼舌根或談及上司的祕密，
當下可能會有那種發洩的快感，但如果是談及不該談
的內容，萬一再經由恐怖的傳話，後果可能就不是你
所能設想的了。我們對於批評別人，似乎總是創意特
別多，特別毒，但如果是對自己，就會比較保留，既
然如此，何不將心比心呢？

　　近年來，由於新聞媒體的濫用自由採訪權，打開
電視幾乎都是專揭人瘡疤的濫情節目。過去鄉村裡，
三姑六婆的竊竊私語、揭人隱私的陋俗，現在好像都
變成高收視高銷售的保證，重口德不留口業的善良風
俗越來越看不見了。其實，**別忘了誰不背後不說人，
但誰的背後不被人說**。多留點同理心，才會活的更開
心喔！

　　當然你一定也有被人誤會、被人批評的時候，此
時，最好先深吸一口氣，別急著去反擊或解釋，先定
下心來仔細想想前因後果，到底是無的放矢還是真有
其事但被傳話誇大了。

　　以平靜的心境去面對負面的批評，對那些惡意的
攻擊，我們可以視而不見、聽而不聞，只要行得正坐
得端，大家的眼睛都是雪亮的，時間便會是你最好的
證明。因為話多的人最後必被人瞧不起，而你卻會贏
得所有人的肯定，這個過程雖然很痛苦，但在將踏入
35 歲的你，一定要有這樣的態度和氣度！

▶ 有事當面說，別在背後多話

　　如果有一些話實在很難跟人當面說，那就用目前
流行的 msn 或是即時通吧！

　　真誠坦白地說出自己心中的想法，總比憋到後來
一肚子悶氣好，因為如果養成了背後說人長短的話，
那麼你一定會被貼上標籤。可能同事或朋友間就會開
始有意無意在你面前不談某些事情，免得到時又不小

心被傳出去。長久下來，你在不知不覺中就被孤立了，對職場的發展也一定會有很大影響。

想要「戒口」其實並沒有那麼難，**第一就是「有意見，當面講清楚說明白」**。無論是工作上還是生活中，對任何人或某件事有意見時，最好就直接面對面說清楚，尤其是帶有批評性的話語，千萬別忘了當面說，但記得理直氣要和，也不要有太多不相干的人在旁邊，如果能單獨談論更好。

第二「討論事情時，對事不對人」。當我們對某人或某事有什麼批評性的意見時，別忘了一定要對事不對人。否則當有人和我們意見相左時，如果這剛好是我們特別在意的事情時，難免就會帶有私人的情緒，萬一再加上這個人剛好和我們不對盤，就極可能因為私人情緒而影響判斷。

第三「不要單獨在上司面前指責他人」。職場上，總有人喜歡私下跑去上司面前打小報告，以為這樣可以拉近和上司間的距離。一次或兩次或許有用，但日子久了，難保上司不會懷疑你的動機？因為會這

樣無情指責你的同事，上司也會想是不是你也這樣在別人面前批評他。所以，有事還是當面和主事者說吧，別在背後道人長短喔！

第四「保持沉默」。雖然現在各方面的競爭越來越大，沉默不見得是解決事情最好的辦法，但往往很多時候，想清楚再出口反而會讓事情更好辦一些，與其衝動地脫口說出一些話，不如先保持沉默，靜觀其變吧！

▶ 遠離八卦圈，成功就離你更近

一件事如果你不想第二個人知道，忍著永遠不說就會是祕密，但如果你跟第二個人說，那就很難成為祕密了；因為聽到祕密的人，雖然會做出保密的承諾，但實際上他也可能跟你一樣，忍不住就想要告訴第三者。

現實生活中，有很多人是無法做到守口如瓶的。我們往往被一種表現欲所支配，既想炫耀一番又不想讓太多人知道，但話只要一說出口，就不再是祕密

了。更嚴重的是，有時候祕密經過了幾個人的口耳相傳後，早就失了真變了樣。到最後，誰也搞不清楚事實的真相到底是什麼，這就變成俗稱的「八卦」。

但是很奇怪，人們卻對八卦十分有興趣，明明跟自己一點切身的關係也沒有，卻都表現出十足的興趣，似乎不查個水落石出就不甘心。因此當你的周圍出現這樣的人，記得千萬要遠離他們，以免你不小心變成他們感興趣的話題人物之一。

職場上，常會有所謂的「派系」，就算小公司也都可能有幾個小團體在彼此角力著。一旦有新人進來，每個小團體都會進行「拉攏」新人的舉動，來壯大自己的聲勢。

當你換到新的工作環境，很多的狀況可能是你不清楚的，甲同事跟乙同事有心結、丙同事不喜歡丁同事。乙同事跟丁同事有曖昧……等等，在不清楚公司的「同事關係」之前，絕對不要和任何一個人談論同事間不論是你聽來或你看見所謂的八卦，以免在無意間樹敵了還不自知。

　　面對紛擾的八卦，你可以選擇加入他們獲得短暫的人緣，因為那些愛談論八卦的人一方面需要新的八卦資訊，另一方面也喜歡跟志同道合的人在一起，因為那才有「同一國」的感覺。

　　但是我要真心誠意地建議你，請選擇另外一條路，喝咖啡沒問題，但**聊是非就最好只聽聽吧！**把自己的注意力放在工作上，而不是同事間的人事紛擾，誰做了什麼沒做什麼，對你有那麼大的影響嗎？如果沒有，那就別去聽吧！把話題轉到別的地方上，就算**真的聽到了什麼，也別忘了左耳進右耳出**，千萬別一起從口出喔！

　　記住！在職場與人交往，一定要謹守：**不願意當面說的話，也別到處說**，當你能做到這點，除了遠離很多是非之外，更可以建立良好的人脈關係。

第五部　勝出職場的金鑰

25 功勞要讓長官領，黑鍋默默自己揹

在職場上，適時表現自己是必要的，但過度表現則會讓你「顧人怨」，尤其是你的上司最不願看到你的鋒芒比他更露……如果你承認職場是個戰場，就該知道人人都想獲得榮譽和讚賞。所以，當你立了大功，別忘了你的上司功勞永遠比你大，因此，把功勞給他吧……想在職場上生存，肩膀就要比別人更厚實，心臟要比別人更強壯。萬一發生事故、出現危機，幫上司擦屁股、收爛攤，是天經地義的事，別問為什麼，事實就是如此。

別以為在職場只要努力工作，長官就會拉你一把，讓你出頭天。公司裡像你一樣優秀甚至更優秀的人很多，工作做得好也許可以加薪，但並不意味著就能有升遷的機會。

升遷的關鍵應該在於有多少人知道你的存在和你

的工作內容，以及這些知道你的人在公司中的地位和影響力有多大。要想出人頭地，就必須引起長官的注意，也就是，你要懂得如何「曝光」自己！

▶ 「鋒芒不露」，不要對別人造成威脅

在《跟對人‧找貴人》註一書中，作者指出：一個人如果沒有鋒芒，就只是一個平庸的人，所以有鋒芒是好事，在適當的場合顯露一下既有必要，也是應當的。但鋒芒可以刺傷別人，也會刺傷自己，運用起來應該小心翼翼。所謂物極必反，過分外露自己的才華容易導致自己的失敗，尤其是做大事業的人，鋒芒畢露既不容易達到事業成功的目的，又容易失去晉升機會。

這真是一個無法調解的矛盾：你不露鋒芒，可能永遠得不到重任；**你太露鋒芒，雖容易取得暫時的成功，卻容易招小人暗算**。當你施展自己的才華時，也就埋下深深的危機。

註 以下內容摘自《跟對人‧找貴人》由易富文化出版。

　　鋒芒畢露者不容易受重用還可能是因為會威脅到上司的地位，所以一有機會，上司就會把你踹下去。

　　鋒芒畢露者要學會把聰明智慧放在心上，智慧不是一個戴在臉上的華麗面具，不是掛在嘴角旁的口頭禪，聰明智慧應該體現在踏實的生活中。

　　所以，我們在待人接物時，要善於發現別人的長處，尊重別人，不要動輒口無遮攔地對別人品頭論足、議論別人的美醜賢愚，不要老盯住別人的小過失，也不要因追求一時的口舌之快而作意氣之爭，不可因意氣用事而得理不饒人……。總之，就是要學會收斂鋒芒，真誠寬厚地待人，掌握話語含蓄和行動穩重的技巧。

　　西方有句諺語：儘管星星都有光明，卻不敢比太陽更亮。

　　下屬的任務主要是協助上司，在最高層人物的眼中，各個部門表現出來的成績，是公司主管領導下的結果。下屬盡力完成上司指派的工作是分內之事，假如你硬要出來爭取風光，只會讓人覺得你不自量力。

35 歲前的你，身在職場也有一段時間了，應該要相當瞭解職場的生態。如果你是一個自認為有才華有前途的人，就一定要做到心高氣不傲，如此既能有效保護自己，又能充分發揮自己的才華。要戰勝盲目自大、盛氣凌人的心理和作風，凡事不要太張狂，並且還應當養成謙虛讓人的美德。這不僅是有修養的表現，也是在職場生存發展的策略。

▶ 錦上添花，把功勞都給長官

工作時，你會遇到取得某種成就的時候，此時應該要保持清醒的頭腦，不可驕傲自滿，更不要到處誇耀自己的功勞，沉溺於其中。

要知道任何豐功偉業都不是一個人就能建立的，而是要集眾人之力才能完成，而且功高會招小人嫉妒，自誇功勞一定會招到他人的怨恨，因此不爭功，不誇耀，像以往那樣盡忠盡職，反而會更令人欽佩。

相信你一定常聽到，很多人在講自己的成就時，往往會先說一段客套話：成就的取得，是上司和同事

們幫忙的結果。這種客套話雖然乏味，卻有很大的妙
用，因為這顯示出你的謙虛謹慎，進而能減少他人的
嫉恨。

要是你有遠大的抱負，就不要計較成就的取得你
究竟出了多少力，而應大大方方地把功勞讓給身邊的
人，特別是你的上司。這樣子，你喜悅，上司也有面
子，日後上司免不了會再給你更多建功的機會。否
則，如果只打眼前的算盤，急功近利，就會得罪身邊
的人，將來一定吃虧。

在運用讓功的藝術時，要記得把握以下兩點：

• 功勞要讓得誠懇

既然決定讓出功勞，就不要表現出一付心不甘、
情不願的樣子，而要痛痛快快、乾乾脆脆。

• 絕不可張揚

如果不能做到這一點，倒還不如不讓的好。對於
讓功一事，讓功者本人是不宜宣傳的，自我宣傳會給

人邀功、不尊重上司的味道。宣傳你的讓功，只能由被讓者來宣傳。雖然這樣有點兒埋沒你的才華，但你的同事和上司只要一有機會便會設法還你這筆人情。

或許你會說：「我自己立下的汗馬功勞，為何要讓給上司呢？」是的，誰願意把自己辛苦取得的功勞拱手讓給別人呢？但是，在必要時，你就得這麼做。如果真的有能力，那麼你立功的機會還很多。能克制自己不肯讓功的情緒，把功勞讓給上司，對你無害有利。你只要在下次的機會，再次立功即可。

建立功勞能讓你對自己更有自信，此時你又能將功勞，禮讓給上司，更使你的人格變得偉大。總有一天，上司會設法還給你這筆人情債，同時也會給你再次建功的機會，對你來說，絕不吃虧。

但是，萬一你自認有功便忘了上司，就容易招惹上司的嫉恨。歸功於己雖然合理，有時卻不合乎人情，而且可能是很危險的事情，因為如果上司認為你「目中無人，驕傲自大」，你在公司的地位將岌岌可危，因此，**把功勞讓給上司，才是明智的自保。**

▶ 天塌下來，爲長官頂著

另外，工作難免也會有「出槌」的時候。從整體而言，**把過失歸咎到自己身上，有利於維護上司的權威和尊嚴，把大事化小，小事化無**，不影響公司工作的正常運作。此外，因為替上司分憂解勞，讓你容易贏得上司的信任和感激，對你日後的職場發展將是有益的。

有一次在我服務的單位裡，業務部門的劉經理由於洽商失誤，受到老總的指責，並扣發業務部門所有職員的獎金。結果引起大家不滿，認為主管辦事失當，責任卻由大家來承擔，一時怨氣沖天，讓劉經理的處境非常尷尬。

這時劉經理的祕書張小姐就站出來說：「其實該為這件事負責任的人是我，如果當時我按照劉經理的要求準備好所有資料，就不致於在洽商中失利。我今後一定會吸取這次教訓，做好準備工作。」眾人聽了，對劉經理的怒氣才少了許多，而從此劉經理也把張小姐視為知己，常常私下多方照料。

　　這是一則下屬主動「揹黑鍋」的典型例子。但有些時候，這種「揹黑鍋」是被動的。在工作時，很可能會出現這種情況：某件事情明明是上司耽誤了或處理不當，可是在追究責任時，上司卻指責自己沒有及時彙報或彙報不正確。

　　相信此時你一定會很嘔吧！其實任何人只要犯了錯，心情都是沉重的，希望能得到別人的諒解與幫助，上司犯了錯更是這樣。因為上司犯的錯，往往不只是他個人的問題，而是整個單位的問題。在這種時候，下屬如果能從多方體諒給予幫助，相信上司是能體會的。

　　總之，適時表現自己是必要的，但過度表現又會讓你「顧人怨」，尤其是你的上司最不願看到你的鋒芒比他更露。其中的尺寸拿捏，將是 35 歲前的你，要學會細細品味的。

　　而且，如果你承認職場是戰場，想在職場上生存，肩膀就要比別人更厚實，心臟要比別人更強壯。當你立了大功時，別忘了上司功勞永遠比你大，把功

勞給他吧！萬一發生事故、出現危機，幫上司擦屁股、收爛攤、背黑鍋，更是天經地義的事，別問為什麼，事實就是如此。

第五部　勝出職場的金鑰

26 沒事也得找罵挨

吸取別人的人生經驗，放低自己的身段態度，是讓你快速成功學習的好方法，而學會看待挨罵，進而從中學到挨罵後的學習方法，更是別人都想不到的好撇步喔！

　　有些人，有了一點小成績就洋洋自得，自以為高不可攀。這樣的人往往就會因為自得意滿而失去了警覺心，反而容易招致失敗。

　　有句俗語說「人在屋簷下，不得不低頭」，是告訴我們，在力量不如別人的時候，或者在求人辦事時，不能不低頭退讓。仔細看這句話的後半句，我們會發現「不得不」隱含著太多勉強和無奈，這是一種消極的、不情願的低頭，既然是勉強和不情願的，做起來

就不免流露出不滿的情緒。這種不滿如果讓對方看
到，反而會影響你辦事的效果。

因此，我們不妨把這句俗語改成「**人在屋簷下，
一定要低頭**」。這並不是在玩文字遊戲，而是要求權
勢和力量不如對方的人要積極主動地低下頭來，變消
極為積極，變不情願為心甘情願。

▶ 會低頭的往往是高人

綜觀中國悠久的五千多年歷史，賢君不少，昏君
亦不在少數。隋煬帝便是其中殘暴的代表人物之一，
當時各地農民反隋聲浪風起雲湧，許多官員也紛紛倒
戈，轉向起義。因此，隋煬帝便非常沒有安全感地生
起疑心病，對朝中大臣，尤其是外藩重臣更是十分不
信任。

當時唐國公李淵（即唐太祖）因為擔任過中央和
地方官，深知朝廷殘暴腐敗，因此，所到之處皆刻意
結納當地英雄豪傑，多方樹立恩德，讓許多人來歸附
他。但是大家也十分擔心，他會遭到隋煬帝猜忌。恰

巧隋煬帝下詔命李淵晉見，李淵卻因病未能前往，讓隋煬帝十分不悅，加深了對他的猜疑。

李淵知道隋煬帝已起疑心，但過早起義，力量又略有不足，只好低頭隱忍等待時機。於是，他故意廣納賄賂，敗壞自己名聲，整天沉湎於聲色犬馬，而且大肆張揚。隋煬帝聽到這些，才放鬆了對他的警戒。

試想，如果當初李淵不懂得主動低頭，或者只是頭低得有點勉強，那麼就很可能被正猜疑他的隋煬帝給除掉了，哪裡還會有後來的太原起兵和大唐帝國的建立呢？

幾乎所有的人都同情弱者，當我們主動地低下了頭，不論是我們的主管或是客戶，多多少少都會心軟，「一定要低頭」的目的，就是為了讓自己與當時的環境有更和諧的關係，把二者的磨擦降至最低，也是為了保存自己的能量，以便走更長遠的路，更為了**把不利的環境轉化成對你有利的力量**，這是一種柔軟，一種權變，更是最高明的生存智慧。

▶ 能挨罵才能成大事

相信沒有人會喜歡挨罵，但從我們一出生開始，挨罵就好像跟生活脫離不了關係。人總難免有挨罵的時候，首先，我們要盡量保持順從態度，雖然不必做到像應聲蟲一樣的地步，但最起碼，臉上應該露出反省的表情，並以坦率誠懇的語氣向主管道歉。

挨罵之後，也不必垂頭喪氣，當然更不可以嘻嘻哈哈，這樣會讓人產生隨罵隨忘的印象。最重要的應該是盡快改正錯誤，因為無禮的反抗態度只會使自己的職場印象 down 到谷底。

其實與上司的真正關係往往始於挨罵，無論多麼優秀、傑出的人，總免不了會挨上司的教訓。第一次被罵的感覺必然不好受，可是只要你能把自己的心態處理到最平衡的態度，反而會讓主管留下好的印象。

有些人初遭痛斥，也許會產生「那種罵法讓人受不了，乾脆辭職不幹」的想法，其實大可不必，這才是你真正需要冷靜的時刻。對於讓自己挨罵的原因，

我們一定要好好反省，督促自己千萬不要再犯，畢竟英明的主管可以容忍底下的人犯一百個不一樣的錯，畢竟一百個不一樣的錯，代表一百個不一樣的經驗，但是犯一百個一樣的錯，那就是自己的責任了。

而且換個角度想，**罵人與被罵等於是你與上司之間的一種溝通**。當他開始訓你的時候，也就代表他已經開始將你視作真正的工作夥伴了，他只是在用一種挑毛病的方式來訓練、考驗你。此外，訓斥的內容之中多半透露著上司的本意和大量的實務知識，不妨心平氣和地聆聽，千萬別漏掉這些有用的職場情報。

記得我初入社會的第一份工作，全辦公室只有我一個菜鳥，看見大家每天都忙碌的工作著，我卻有種完全不知道該做什麼的煩惱。終於我的頂頭上司丟了一個規劃整年進度表的工作給我，我雖然很興奮卻更害怕，因為我完全不知道怎麼下手。我看了公司以前所規劃的報表，因為同事都很忙，菜菜的我也不敢問別人，一個禮拜後，我就把我自覺整理最好的規劃表呈了上去。

　　結果當然是根本不能用，除了是因為我不了解市場外，也沒有做到與同事間的協調規劃，但我當時的主管更酷，他完全沒有責罵我，而是看了一眼後，就放到旁邊去，然後當著我的面請另一個資深的同事重做一份。當時的我真是難堪到了極點，我倒寧願他大罵我一頓，而不是完全一句話也不說，我只有悶悶地回到座位上，自己難過得要死。

　　還好，我還算聰明，知道職場上有一種學習，是用眼睛來學習，所以我就看著比我資深的前輩怎麼找資料，看著他如何跟主管互動，他們是怎麼討論的，他是怎麼讓我的主管教他的，甚至是用什麼方法讓我的主管注意到他的。漸漸的，我知道與大家相處的方法，也終於讓我的主管開口責備我，進而從責備我的過程中，告知我怎麼改進案子的方法，並討論出我們要奮鬥的目標。

　　所以千萬不要討厭或害怕挨罵，妥善運用上司和你之間「罵與被罵的關係」，反而是促進雙方瞭解的第一步。

▶ 嫌貨才是買貨人

相信你一定聽過一句話「哀莫大於心死」，當對一個人完全不在乎的時候，不管他做了什麼，你也都不會在意。這句話如果放在職場也有異曲同工之妙喔！

你不妨想想，當我們挨罵時，正是我們可以從中吸取主管處理這件事情的經驗法則，不認同的部分我們可以當作增廣見聞，若是的確點出了我們做事的盲點，不就正好**把主管十幾年的實戰經驗**，在短短的幾分鐘內，**變成自己工作的經驗法則**，這種好康的事，或許多幾次還更划算呢！

我常常跟我底下的同仁說，多多到第一線去聽消費者對我們產品的意見，千萬不要在自己的象牙塔裡做事情。如果我們的產品經不起消費者的檢驗，那這種產品還有什麼生產的價值呢？每一次消費者對我們的批評，都代表我們下一個產品會更趨於完美，這種免費的產品諮詢顧問，對我們當然是越多越好啊！

相同的，當主管對我們有更嚴格的要求時，換言

之，就是對我們有更高的期望。此時，你千萬不要用負面的心情去想，天啊！這個主管是不是瘋了？這麼愛罵人？是不是有病啊？你應該去聽聽在責罵你的同時，主管有沒有提出什麼真知灼見。如果有，那你就要感謝他，並且更要緊緊跟隨他；如果主管只是情緒上的無謂謾罵，相信日子久了，也會有人知道問題出在哪裡，那你就可以選擇離開，或換一個值得你跟隨的主管。

35 歲的前後，你可能已經升為主管，也可能還是小職員，但是別忘了，吸取別人的人生經驗，放低自己的身段態度，是讓你快速成功學習的好方法，而學會看待挨罵，進而從中學到挨罵後的學習方法，更是別人都想不到的好撇步喔！

27 不管工不工作，都要時時學習

你有多久沒到書店逛逛，看本對你有所助益的書籍了。也許很多人從學校畢業後，就不再看書，報紙也只看娛樂體育新聞，只會注意雜誌的八卦消息。如果，在 35 歲之前，不能培養隨時學習的態度，那麼你將遠遠落後在資訊轉變的洪流之中。

今天我們所處的時代，是一個非常多變的年代，幾乎可以說每 5 年，資訊就要轉變一次，而且變換的速度愈來愈快。事實上，目前我們所擁有的知識技能就有二年半的半衰期。這就表示，對於自己目前專業所具備的知識，在 5 年內大部分都會變得過時或不相關。身處於現代社會的你，該如何應對和適應這種變化呢？

想要在快速變遷的明日世界中生存茁壯，我們就

必須以越來越快的速度，不斷更新我們的知識與技能，唯有使勁地研究學習才能保持不落後，若想要領先別人一步就更不用說了。

這是很現實的一件事，「**沒有進步，就是退步。**」西方也流行一條「**知識折舊**」定律：**一年不學習，你所擁有的全部知識都會折舊 80%**。因此，唯有懂得自我提升才是了解外部變化，適應轉變的最有效途徑，想要在職場出類拔萃，厚植學習力更可說是必備的基本素質，也就是凡成功者必定是擅長學習的人。

▶ 成功要靠學習力

有些人把學習力和專業技能比喻為走向社會的第一本護照，從這句話中我們可以很明顯地看出：**一個人的學歷並不等於學習能力**，學歷高的人未必學習能力高；同樣的，學歷低也未必學習能力就低。想要在**職場上成功並不是單靠學歷，而是要看一個人的學習能力。**

一個博士被分發到工廠上班，成為該廠裡學歷最

高的人。

　　有一天，他到工廠後面空地的小池塘去釣魚，剛好廠長、副廠長在他的一左一右，也在釣魚。博士只是稍微點點頭，心想：跟這兩個大學畢業生，有啥好聊的？

　　沒多久，廠長放下釣竿，伸伸懶腰，蹭蹭蹭地從水面上走到池塘對面上廁所。博士眼睛睜得都快掉下來了。「水上飄？不會吧！這可是池塘啊。」

　　廠長上完廁所，同樣也是從水上飄回來了。到底怎麼回事？博士心想，自己可是博士耶！便不好意思開口問。

　　過一陣子，副廠長也站起來，走了幾步，蹭蹭蹭地飄過水面去上廁所。這下子博士更是差點昏倒：「不會吧，我竟然到了一個江湖高手集中的地方！」想著想著，博士也內急了。

　　由於池塘兩邊建有圍牆，要到對面廁所非得繞十分鐘的路，而回去廠裡又太遠了，「怎麼辦？」博士

不願意去問廠長，憋了半天後，他心想：「我就不信大學畢業生能過的水面，我堂堂一個博士會過不去。」便也起身往水中跨。只聽到 「噗咚」一聲，博士一頭栽到水裡面去了。

廠長趕忙將他拉了出來，問他為什麼要下水？博士反問：「為什麼你們可以走過去呢？」只見他們相視一笑：「池塘裡有兩排木樁，由於這兩天下雨池水漲高，木樁正好淹在水面下。我們都知道木樁的位置，所以可以踩著過去。你怎麼不問一聲呢？」

學歷代表過去，只有學習力才能代表將來。唯有尊重經驗的人，才能少走彎路。就某種層面上來說，**學習力也是競爭力**，一個人只要具備比別人更快更好的學習力，就會在職場競爭中脫穎而出，戰勝對手。

你有多久沒到書店逛逛，看本對你有所助益的書籍了。也許很多人從學校畢業後，就不再看書，報紙也只看娛樂體育新聞，只會注意雜誌的八卦消息。如果，在 35 歲之前，不能培養隨時學習的態度，那麼你將遠遠落後在資訊轉變的洪流之中。

▶ 學習力＝競爭力

縱然成功像比爾蓋茲這樣的人，在數年前來台灣訪問時，據曾經接待他的空服小姐透露，即使面對嚴重的時差問題，比爾蓋茲依然強迫自己在飛機上不斷地閱讀，整個座艙散落看過的報紙、期刊雜誌，他讓自己能夠時時瞭解社會最新的知識。那麼做為年輕、精力充沛的我們就更應該去進行學習了，因為只有具備學習力，才可以打造出更好的競爭力。

不管是學習專業知識，還是補充其他常識，都可以透過很多途徑來實現。不斷透過培養自學能力，可以說是提高學習力的關鍵。平時要養成良好的閱讀習慣，透過讀書看報獲取豐富的知識；尤其要善於利用網路，以此掌握時代脈動，有選擇性地為自己充電。

在你我的工作領域中，實際上有無限的學習及改進能力。假如我們能在往後的人生中努力培養自己的能力，便會有用不完的腦力、能力和智力。一個人的能力，遠超乎你我想像。而**學習就像是肌肉一樣，唯有使用才會發展**；正如一直從事某種運動，就愈擅長

那運動一樣，我們愈是致力於學習，就愈會學習。只要將學習能力應用到工作當中，我們就沒有克服不了的障礙，解決不了的問題，以及達不到的目標。

在當今這個時代，學習已經不是人一生中某階段的事了，而是一種社會化、制度化和終生化的行為，是現代社會每個人成長進步的客觀需要，不實現知識的不斷更新，就必然落後於時代前進的步伐。就某種意義上來說，學習已經是一個人基本的生存方式。

唯有不滿足、不停滯於已經取得的成就，不斷地學習才能確保一個人持續地獲得成功。所以，下定決心成為一個充滿學習力的人，對你在職場上的影響力將會令你訝異。

看到別人比你成功，其實當中並沒有什麼大祕訣，或許他只是比平常人多想、多看、多問、多學、多瞭解而已。同樣一件事情，別人看到了幾年以後，你卻只是看到明天，一天和一年的差距有 365 倍，那麼你還有什麼條件贏別人？想想看，人生你看了多遠，你的設想周不周到，你學習的夠多嗎？只是多

想、多看、多瞭解就夠了嗎？不！還要身體力行、多問、多學習才對！

　　要保持求知欲，尋求新的資訊，像海綿般地吸收新知。持續不懈的個人與專業發展將為你開啟更多的潛能與機會。想在職場上快人一步，領先眾人嗎？趕緊在 35 歲前養成不斷學習的態度，便是達到此目標的關鍵。

第五部　勝出職場的金鑰

28 快！快！快工作，慢！慢！慢生活

在亞洲人瘋狂工作的同時，歐美卻吹起一股「慢活」風：愈來愈多的人渴望過安定、不匆忙的生活。……21 世紀正是告別工作狂的年代，該是休閒登場的時候了！

常常聽到有些人在失戀之後，選擇用沒日沒夜的工作來逃避失戀的痛苦，藉此來麻痺自己。

這聽起來就好像是把工作當成新戀人，和工作建立親密關係。事實上，我們和工作之間的確存在著一種很曖昧的愛恨交織關係，愛的是它帶給我們滿足和成就感，恨的是它往往把我們折磨個半死，讓我們心力交瘁。

很多人把工作只是當成工作，準時上班、準時下

班,因此從來不覺得工作會帶來像談戀愛一樣的痛
苦;然而,現今愈來愈重視創意和績效的工作環境,
讓很多上班族承受巨大的壓力,為了把工作做得完
美,不得不「一頭栽下去」,因此工作就這麼讓人在
不知不覺中陷入「無法自拔」的境地。

⊙ 亞洲人都成了工作狂?

一般人認為上班族的工作時間是朝九晚五,但
是,在我的公司裡,沒有人是準時下班的,除了工讀
生和總機小姐以外,其他人一天工作十二個小時以上
是常有的事。我的同事就常說:「每天光是收信寄
信,就要花掉半天的時間。」我則是常常覺得:一天
再多給我二十四小時,也是不夠用!

據說台灣的工時長,在世界排名是數一數二的,
而上班族壓力大到睡不好的人更占了四成以上,這種
情形在日本也同樣發生,即使在中國的大城市裡,也
不遑多讓。

就是因為亞洲正在快速崛起,所以人人都想搭上

時代的高速列車，以求快速到達目的地。然而，列車的座位畢竟有限，據說在將來的社會裡，有專業技能的人將同時擁有好幾個工作機會，而毫無專業的人則會一直處於失業的狀態。換句話說，**人力配置兩極化，財富配置兩極化，富者恆富，貧者恆貧**，在這種環境奮鬥的上班族，感受到的壓力當然特別大，自然也就產生了愈來愈多的工作狂。

有位專門研究工作狂的心理醫師，發表他多年觀察的結果：絕大多數沉溺於工作的工作狂，往往不是那些需要窮盡心力、必須靠出賣勞力以求生存的人。工作狂往往是頗有成就的白領階級，他們沒日沒夜地工作，把自己壓縮在高度的緊張狀態中，每天只要張開眼睛，就有一大堆工作等著他。

而工作狂最大的特徵就是未老先衰，早生白髮。很多人雖然只有 35 歲，卻活得像 65 歲，毫無生氣，被工作壓得連脊背都直不起來。換句話說，如果我們不在 35 歲前學會「**快快工作，慢慢生活**」，那麼我們的中年和老年生活一定令人擔心，而且不可避免地將活在病痛之中。

　　其實，工作狂不單單指做事的狀態，它也是一種心理的狀態反映。心理研究人員分析，具有工作狂特質的人大都是目標導向的完美主義者。一切以原則掛帥，他們企圖從工作中獲得主宰權、成就感與滿足感，任由生活受工作支配。他們相信只有工作才是一切意義的所在，活動、人際關係對他來講都是無關緊要的。

　　表面看來，工作狂似乎別無選擇，他們就是無法讓自己停下來。這種心態，不論對自己還是周圍共事的人，都將造成相當嚴重的困擾。

　　其實我們都是在不知不覺中變成工作狂的，如果觀察一下你的工作環境，就會發現大多數的人從一進辦公室開始，從打開電腦的那刻開始，身體就像一個機器被啟動了，然後就開始一天的工作流程：收發信件、更新檔案、開會作簡報、打報告……一直到關掉電腦的那一刻，才真正停止機器的運轉。更何況有時候還不會像精準的機器人一樣，可以完全停止運轉，腦子在回家後仍然不停地運轉，把整天的工作又延續下來。

▶ 你做得到「慢活」嗎？

然而，在亞洲人瘋狂工作的同時，歐美卻吹起一股「慢活」風：愈來愈多的人渴望過安定、不匆忙的生活。歐美在經歷過經濟的高成長時期後，現在已進入高穩定階段，因此對他們來說，生活才是最重要的，所以 **21 世紀正是告別工作狂的年代，該是休閒登場的時候了！**

而且，休閒的生活並不會帶來經濟衰退。因為**休閒活動可以為人們帶來健康，**而健康的員工比較快樂，比較具有生產力。比起上世紀 80 年代「嗜工作如命」的風潮來說，現在的工作觀有了 180 度的大轉變，他們比以前的人更相信一句老話：**不懂得休息的人，就不會工作。**

前幾年，美國曾對白領階級作過調查，結果顯示，超過 53% 的女性和 43% 的男性表示：願意犧牲一天的薪水，以換取多一天的假期。「少拿錢，少做事」的想法，在歐美已趨於成熟，而在亞洲，它正開始萌芽，但估計需要很長的一段時間才能結果。

在亞洲，人口密度過大，相對地競爭較為激烈，且普遍有個根深蒂固的想法：休閒是「負面的享樂」，讀書工作才是所謂的「正事」。因此，凡是重視個人興趣、喜歡玩樂、有大量嗜好的人，總是飽受「浪費時間」和「不務正業」的指責。

其實依據心理學研究指出：**追求「完整」人生是人類與生俱來的基本需求**。而休閒活動的力量正可以超越工作的種種束縛，創造源源不斷的生命活力，人們從休閒中可以儘量伸張自己、擴展自己，讓自己與身邊周圍的環境合而為一，而漸漸完整。

這就可以解釋為什麼有愈來愈多的上班族選擇在下班後去健身房，或去學瑜珈、練舞蹈。像我就有一個同事在下班後，絕不再談論公事，如果有人膽敢跟她討論公事，她就會說：「我今天很認真地花了八個小時在工作，既然我已經努力過了，下班後我就不想再花任何時間在公事上，我只想盡情發揮我的想像力，做我真正想做的事。」

任何人在聽過這番話，都會對她肅然起敬，而且

有種大徹大悟的感慨，也開始慢慢找回自己失去已久
的想像力。

想要找回你的想像力其實很簡單，只要停止左腦
理性的思考就好。譬如，有一個晚上，我只是把畫紙
放在桌上，然後依著自己的感覺，畫了一條貝殼項
鍊、一頂帽子、一個胸針和一條花內褲。畫完之後，
就覺得全身輕鬆舒暢許多。

至於為什麼要畫這些東西，就根本不用去想，因
為想畫就畫，這就是直覺。如果追根究柢去思考：畫
貝殼項鍊可能是因為我喜歡民族風的飾品，也可能反
應出我潛意識裡很想去熱帶島嶼度假，也可能想到這
種貝殼項鍊不知道有沒有市場……只要這些想法一直
出現，就表示我還在用左腦思考，我正在過度使用頭
腦，我的頭腦在下班之後仍然沒有獲得休息。

**「休閒」並不是浪費，而是再創造，它讓我們知
道生命裡其實還有很多的「可能」**。終日不停工作的
人，很容易忽略兩個問題：一是沒有思考和沉澱的時
間；二是忘記身體規律的週期性。

　　身為一個上班族，相信最常想的就是：擔心被老
闆罵、害怕被炒魷魚、憂慮升不了官、發不了財等
等。但就是這些事情讓你的生活變得更慌亂，當你覺
得心裡很慌亂的時候，不妨停下腳步，重新思考沉
澱，正如某位禪師所說：「**每一個人應該隨時反問自
己現在正在做什麼？**」

　　如果你時常反問一下自己：「我到底在幹什麼？」
不斷地和自己的內心對話，只把注意力集中在眼前的
事，不為假想的情景煩惱，就能讓自己的心情平靜下
來，活得更自在。

　　工作很重要，但休閒的價值愈來愈受到重視。 35
歲正是人生的黃金年代，千萬別讓工作佔滿你的生
活，你應該像「人」一樣地活著，而不是像機器一樣
地運轉著。**要樂在工作，但也要樂在休閒。**

35X33

第六部
通往成功的道路

你認為影響人一生最重要態度是什麼？

自己什麼態度最棒？

你最缺乏什麼態度？

態度較事實重要，

也比個人背景、教育程度、金錢、環境、失敗、成功重要，

甚至比其他人的想法或做法重要，

更重要於人的外表、天賦或技能。

「態度」足以影響公司、團體、家庭或個人的成敗。

第六部　通往成功的道路

29 堅持，就能找對位置

成功就站在失敗的後面，只要多往前走幾步，你就會看到它。勇於堅持的人可能在當時失敗，卻在後人心中勝利；可能在名利上失敗，卻在精神上勝利。這就是堅持的人生。堅持，就是一首永無休止符號的進行曲。

　　人的一生中，不可能什麼事情都是一帆風順，總會遇到各種各樣的困難、挫折，無論是來自本身，還是外界，這都在所難免。能不能忍受一時不順利，就要看你是否有雄心壯志。一個真正想成就一番事業的人，志在高遠，不以一時一事的順利和阻礙為念，也不會為一時的成敗所困擾。面對挫折，必然會發奮圖強，艱苦奮鬥，去實現自己的理想，成就功業，這是一種積極的人生態度。困難正是磨練人意志的最好時

機，因為只有經歷困難挫折考驗的人，才能成大事。

《周易・乾・象》中提到「天行健，君子以自強不息」，是說天道運行強健不息，君子也應該積極奮發向上，永不停息才對；所以面對挫折、打擊，磨難時，應該沉著應對，不能被這些困難所壓倒。忍受挫折的方法就是奮發圖強，準備東山再起，而不可由此沉淪。

⊙ 沉住氣才能負得重

「成功需要有耐心」是大家都懂的老生常談。凡成大事者，都能力戒「浮躁」二字，透過自己踏踏實實的行動換來成功的人生。同樣的，任何試圖成大事的人都要抑制想走捷徑、浮躁的心態，**唯有耐心做事，才能達到自己的目標。**

世事往往就是這樣，越著急，就越不會成功。因為著急會使人失去清醒的頭腦，結果在奮鬥過程中，浮躁就會占據思維，使人不能正確地制定方針、策略以穩步前進。

　　記得有一次，我公司早上有個很重要的會議，關係到一份很重要的千萬合約，所以不能遲到。無奈鬧鐘在早晨壞掉了，當我一覺睡起時，已經八點鐘了。匆忙梳理出門後，只剩 20 分鐘會議便要開始了；只好改搭計程車，希望能趕得上參加會議。

　　到過台北市的人都知道，上班時間的台北街道是一片忙亂。我好不容易攔到一輛計程車，匆忙地上車對司機說：「司機先生，我很趕時間，拜託你走最短的路！」

　　沒想到，司機反問：「小姐，你是要走最短的路，還是最快的路？」

　　當時我好奇地問：「最短的路不是最快嗎？」

　　「當然不是，現在是尖峰時間，最短的路都會交通壅塞。你要是趕時間的話，最好繞道而行，雖然多走一點路，卻是最快的方法。」

　　聽了司機的話後，我最後選擇走最快的那條路。途中看見有條路正塞得水泄不通，而那正是到我公司

最短的路。

　　司機所言不差，多走一點路果然就暢通無阻，雖然路程較遠，卻很快到達目的地。最終我還是趕上會議，成功簽下合約。

　　人們總喜歡走捷徑、希望不勞而獲，以為走捷徑可以用最少的體力，最快到達目的地。其實，**捷徑雖是最短的路，卻未必是最快的**。試問：你有看過多少賭徒不工作卻因為賭博而成為富翁？你又見過多少學生從不上學卻因為上補習班而成績十分優異？反而，因為貪圖捷徑，賠上時間、金錢甚至生命的，倒是在報紙上見過不少。

　　捷徑並不好走，不但荊棘滿途，而且充滿危險，也沒人可以保證你走的路一定可到達終點。走長一點的路雖然會累一點，多吃點苦，卻是唯一最快到達目的地的方法。正所謂「一分耕耘，一分收穫。」腳踏實地去走每步人生路才是明智之舉。

　　只有按下浮躁的心，沉得住氣才不會盲目地讓自己奔向一個超出能力範圍的目標，而能夠踏踏實實地

去做自己能夠做的事情。

　　只有先控制浮躁，我們才會吃得起成功路上的苦；才會有耐心與毅力一步一腳印地向前邁進；才不會因為各式各樣的誘惑而迷失方向；才會制定一個接一個的小目標，然後一個接一個地達到它，最後走向大目標。

　　渴望成功的你，應該在 35 歲前就學會記住：**著急可以，切不可浮躁。成功之路，艱辛漫長而又曲折，只有穩步前進才能堅持到終點，**贏得成功；如果一開始就浮躁，那麼，你最多只能走到一半的路程，便堅持不下去，終致徒勞無功。

　　人生在世，總會遇到幾次「關鍵時刻」，此時只有沉住氣、冷靜以對，才能保存自己的實力，贏得最後勝利的機會。倘若沉不住氣，逞一時之能，就難以成就今後的事業。

▶ 耐心放長線，才能釣到大魚

　　走趟海邊，看看那些釣到大魚的高手。你會發

現，他們在看到大魚上鉤時，總是不急著收線揚竿，把魚甩到岸上。他們會先按捺心頭的喜悅，然後不慌不忙地收幾下線，慢慢把魚拉近岸邊；一旦大魚掙扎，便又放鬆釣線，讓魚遊竄幾下，再又慢慢收釣。如此一收一放，等到大魚精疲力盡，無力掙扎，才將它拉近岸邊，用網子撈上岸。我們求人辦事也是一樣，如果追得太緊，別人反而會一口回絕你的請求，只有耐心等待，才會有成功的喜訊來臨。

我所認識的朋友中，有一個是某中小企業的董事長蔡桑，他的交際手腕堪稱一絕。由於他的公司長期承包一些著名電器公司的工程，所以他對這些公司的重要人物便常施以小恩小惠，即使是年輕職員他也殷勤款待。

但蔡桑並非無的放矢。他總是在事前想方設法地將電器公司內各員工的學歷、人際關係、工作能力和業績等等，作全面的調查和瞭解。只要他認為某個人大有可為，以後會成為該公司的要員時；不管他有多年輕，都會盡心款待。這樣做的目的，是為日後獲得更多的利益作準備。他明白，要釣大魚，就需要耐心

放線。果然，十個欠他人情債的人中總會有九個給他帶來意想不到的收益。即使現在做的是虧本生意，日後還是會利滾利地收回。

當他看中的某位職員晉升為科長時，他會立即跑去慶賀，贈送禮物說：「我們公司有今日，完全是靠貴公司的幫忙，因此，向你這位優秀的職員表示謝意，是應該的。」

年輕的科長聽到這樣的話，自然倍加感動，無形中便產生感恩圖報的意識；一旦這些職員晉升至處長、經理等要職時，都還能記著蔡桑的恩惠。因此，近幾年景氣不好，生意競爭十分激烈的時期，許多承包商倒閉的倒閉，破產的破產，而我這位朋友的公司卻仍舊生意興隆，就是由於他平常慧眼識人，耐心放線的結果。

綜觀蔡桑的放長線手腕，的確有他「老薑」的「辣味」。也點出了**求人交友要有長遠眼光，要注意有目標的長期感情投資**。同時，放長線釣大魚，還必須慧眼識英雄，才不至於將心血冤枉地花在那些中看不

中用的庸才身上，日後收不回成本。

⊙ 堅持其實很簡單

做任何事情都要有堅韌不拔的精神。許多人在事業上的失敗，常常不是因為沒有選準目標，也不是因為難度大得不得了，而是因為他們缺乏堅強的意志和堅韌的品格。宋朝蘇東坡說過：古之成大事者，不唯有超世之才，亦必有堅韌不拔之志。這是一個客觀規律，古今中外，概莫能外。

堅持，其實是世界上最容易也是最難的事。做事貴在堅持，持之以恆。堅持之所以容易，是因為只要你願意去做，人人都能做到。說它難，是因為在這個過程中總會出現一些使你信心和毅力動搖的事情。因此，能夠堅持到底的人，終究是少數。為了自己的目標，你有毅力堅持不懈嗎？不管遇到多大的困難，多強的阻礙，你都能堅持到底嗎？想像一下，我們有過多少次沒有堅持到底而失敗的經驗？許多失敗，如果能再多堅持一分鐘，或再多付出一點努力，或許就可以轉化為成功。

　　某次，蘇格拉底在課堂上對學生說：「今天我們只學件最簡單也最容易的事：每個人把雙手儘量往後拉，然後再向前甩。」他示範一遍後說：「從今天開始，每天都要做 100 下。大家能做到嗎？」

　　蘇格拉底的學生都笑了，這麼簡單的事，有誰做不到？

　　一個月過去，蘇格拉底問：「每天甩手 100 下，有哪些同學做到了？」90 ％的同學驕傲地舉起手。

　　又過了一個月，蘇格拉底再問，這次堅持下來的學生只剩下八成。

　　一年後，蘇格拉底再問大家：「請告訴我，簡單的甩手運動，究竟有多少同學堅持下來了？」整間教室裡，只剩下一個人舉手。他就是後來的偉大哲學家柏拉圖。

　　當遇到困難時，記得不要輕言放棄，成功不可能一蹴而成。路上難免有荊棘，**誰能堅持到困難向你屈服退縮，那誰就是勝利者。**三分鐘熱情無法成就你的

夢想，只有持續堅持，加上不斷轉動的思想，才是成功的祕訣。

善於堅持的人可能失敗，卻很少成為失敗者。因為「堅持」的骨子裡有種素質：一種激情如火的素質、一種追求根源的素質、一種苦行僧式的素質、一種認定目標死不回頭的素質、一種固執己見永不迎合他人的素質，一種酷愛偏激的素質。

具備這種素質的人常常能創造出人間奇蹟，舉凡佛洛伊德、拿破崙、貝多芬……等諸多著名人物，他們性格中明顯有著共同的一點，即堅持。他們執著地將熱愛的某項事業推向極致，什麼也阻止不了他們——除了自身的死亡。

當初，愛迪生為了找尋做燈絲的材料，嘗試了5000多次都失敗。有人說：「你已經失敗了5000多次。」但愛迪生說：「不對！我不是失敗5000多次，而是我已經知道有5000多種材料都不適合做燈絲，所以我還要繼續下去！」

唯有一直堅持到最後的人才知道，世上沒有「不

可能」。**偉人和凡人的不同，只是在於能否堅持到最後而已**。再聰明的人，如果沒有後天的努力與堅持，也絕不可能成功

　　成功就站在失敗的後面，只要多往前走幾步，你就會看到它。勇於堅持的人可能在當時失敗，卻在後人心中勝利；可能在名利上失敗，卻在精神上勝利。這就是堅持的人生。堅持，就是這樣一首永無休止符號的進行曲。

第六部　通往成功的道路

30 真的要「放棄」

生活中不可能什麼東西都能得到，總有你覺得可惜的事情，總有放棄的東西。不會放棄，就會變得極端貪婪，結果什麼東西都得不到。放棄今天的舒適，努力「充電」學習，是為了明天更好的生活。若是一味留戀今天的悠閒生活，有可能明天你將整天哭泣。學會放棄，可以使你輕裝前進，能夠攀登人生更高的山峰。

人有時太貪婪，所以毀了大好前程；人有時明知是陷阱，卻因為誘惑而落入他人設好的圈套。其實，如果我們能夠放棄眼前的私利，一定會認清潛藏的危險。所以，人有時要學會放棄。

詩人泰戈爾說：「當鳥的翅膀繫上黃金時，就飛不起來了。」可見**放棄是一種清醒的選擇，即使你有時候捨不得**。

▶ 放棄才是真智慧

我曾經跟一位原住民朋友上山去抓過猴子，原先我以為要用到獵槍或捕獸夾之類的工具。結果我這位朋友用的方法更簡單：他只是找來木板，做成兩個很結實的木箱，然後在木箱上開個小孔，裡面只放了兩粒烤得香噴噴的栗子，最後固定在猴子常出沒的地方而已。

結果白天剛做好，才到傍晚就可以見到有猴子在木箱邊掙扎。即使看到我們靠近，猴子也只是把手插在木箱，驚慌地嘶叫著。等到我們撬開木箱後才發現，原來猴子的手還死抓著栗子不放。

其實只要把栗子放下，猴子的手不就可以抽出來，輕鬆地逃跑了嗎？為什麼牠們就是不願意放棄到手的食物，以致於被我們逮住？

在人生的道路上，我們往往都會與猴子犯下同樣的錯誤，由於太看重眼前的利益，該放棄時不放棄，結果鑄成大錯，甚至悔恨終生。所以有時候，**懂得放**

棄才是真正的智慧。

記得某位哲人曾說過：「如果一個人面對兩件事猶豫不決，不知該先去做哪一件事情好，那麼他最終將一事無成。他非但不會有什麼進步，反而還會後退。唯有那些能先聰明地斟酌，再果斷地決定，然後堅定不移地去行動的人，才能在任何事業上，都做出卓越的成績來。」

可見，學會選擇放棄對一個人能否成功是多麼重要。 35 歲前的你，如果已經在職場中打拼，卻還不知道怎樣選擇放棄，那現在比發現並追求機會更為重要的，就是學會放棄。**只有成功的選擇，才會有成功的人生。**

▶ 放棄是爲了更好得到

在你得到的同時，你其實也在失去。

同樣的，你在選擇什麼的同時，其實也是在放棄。在選擇前，我們面對了無窮多的可能，然而一旦

35X3

當你選擇時，你就必須放棄。**放棄是必要的，是為了更好地得到。**人透過選擇，也透過放棄而成長，尤其是你想藉由一生的拼搏，去獲得巨大的成功，更要敢於放棄，千萬不要被一點小成功就遮住眼睛。

但放棄並不是隨意的，更不是三心二意的，比如說，有的人一下子看當明星容易出名，就去學表演；一下子看創業可能會發財，就去開公司；一下子看從政升官快，又熱衷於參加政治活動……，結果到頭來還是一事無成。你應該充分估量自己的才能，認清自己最適合做什麼，然後做出正確的選擇，只有這樣，再加上不斷努力，你最終才會取得成功。

▶ 不要追求完美主義

35 歲前的你是否也有過這樣的想法：工作一定要做到完美無缺？這想法的出發點或許是好的，但這樣做的結果，可能導致你永遠無法做完一件事，因為完美是相對的，任何絕對的完美都是不可企及的。

努力做到最好和過於追求完美，兩者有很大的差

異。前者通常是一種可以達到，令人滿足和健康的工作習慣，後者則是無法達到的、令人沮喪，而且極度浪費時間。

英國著名的馬莎百貨公司(Marks & Spencer)董事長賽門馬克爵士便認為，那些熱衷於完美的人，他們浪費的時間和金錢其實可以得到更好的運用。因此他主張採用「合理的近似值」制度，他的座右銘就是：「**不要為追求完美付出代價**」。

為什麼你還不放棄虛幻的「完美主義」，選擇看得見的「努力做好」呢！用節省下來的時間和精力去做好更多的工作，必將聚沙成塔、集腋成裘，成功也就離你不遠，何樂而不為呢？

▶ 當斷則斷，切忌猶豫不決

一頭驢子很幸運地得到兩堆草料，然而猶豫卻毀了這可憐的傢伙，牠站在兩堆草料中間，一會兒看看左邊的草料，一會兒看看右邊的草料，猶豫著不知先吃哪一堆才好。就這樣，光守著近在嘴邊的食物，這

頭驢子就這麼活活餓死了。

這是多麼可悲的下場呀！有些人就像驢子一樣，做事總是瞻前顧後、猶豫不決，除了交代的工作外，幾乎從沒有主動做出過什麼成績，顯得既平凡又渺小，就像一滴水滴到大海一樣，從來引不起別人的注意，所以總是與成功失之交臂。即使有時候想主動做些事情，結果也是一下子想做這樣，還沒開始就想做那樣，到頭來什麼也沒有做，只有眼睜睜地看著美好的時光從身邊溜走，甚至還搞得心情鬱悶，消極失望，對前途喪失信心。其實歸根究柢，造成這種現象的原因還是不懂得選擇放棄。

既然猶豫不決的危害如此嚴重，你還在猶豫什麼呢，立刻將「猶豫不決」從身上剔除出來，毫不留情地遠遠拋棄吧。記得可以按照下面幾點去做：

●當機立斷，只給自己十分鐘思考的時間

當我們選擇做一件事情的時候，可能腦海裡會同時冒出好幾件事，而且好像做哪一件事都行。這時

候，只需再經過一番分析後，就趕快決定要做哪件事。最好思考時間不要超過十分鐘。否則，又將陷入猶豫不決的困境，朝三暮四、瞻前顧後，結果就是，什麼事也做不成。

●把工作分散到每一天

一旦確定要做什麼事，接下來就要把它進行分解，開始制訂工作計劃，把每一天量化，好讓自己知道每天該做什麼。

●趕快行動

有了詳細的工作計劃，那就要趕快行動。要知道，成績是靠做出來的，而不是在紙上作業出來的。

⊙ 不要讓壞習慣綁住手腳

只要是人，總會有各式各樣的習慣，其中有好的，如積極主動、合群互助、控制情緒，堅韌不拔、勇於創新等等。當然也會有些壞習慣，如做事推託、

遲到早退、做事虎頭蛇尾、喜歡道人八卦、行動孤僻、溺於安樂等等。

好習慣有益於你的事業，推動你不斷有好的成績，邁向成功；壞習慣則像是身上的惡性腫瘤，不時就會發作一下，干擾你的正常工作、打擊你的積極，慢慢將你變成一事無成的廢人。

所以，此時記得要冷靜下來，自己當個醫生，將全身檢查一遍，好好地動個大手術。好習慣，就留下來發揚光大；壞習慣，則要堅決地割除放棄掉。只有這樣，你才算是個健全的人，才會更好地去工作，做出更多更優秀的成績，得到最後的成功。

相信一句話吧！**魚與熊掌想要兼得，結果往往什麼都得不到。** 35歲前的你，還不趕快行動起來，去選擇，去放棄！

第六部　通往成功的道路

31

做金錢的主人

邱吉爾說：「聰明的人能將有限的收入作很好地安排，他們會享受用錢的滿足感，但絕不會為錢所用。」金錢只是一種工具，35 歲前的你，想要做個金錢的主人，真正掌握致富的契機，如果不從「現在」就開始，那你將會離財富愈來愈遠。

　　金錢，可能是人類最偉大的發明。因為它可以衡量大部分具體事物的價值，也為人類文明作出重大貢獻，使人類從以物易物進步到現代社會中有股票、房地產、金融等等的公開交易平台。雖然金錢對人類進化提供了很大的幫助，同時也製造出一連串問題。到底金錢是萬惡還是萬能的？我想絕對沒有人能給出肯定的答案。

　　姑且不論它是什麼，但金錢確實擁有誘人的力

量，要怎樣發揮它的功能，就全看你怎樣去使用它。
有人一生為金錢勞碌，有人視錢財如糞土，也有人把
金錢靈活地控制在手中。你想成為哪一種人？是被金
錢控制，還是控制金錢？你將成為哪一種人，就要看
你認為金錢是什麼，對你來說又是什麼東西。

▶ 只要你想「成為」，你就可以做到

現今的社會大環境，因為消費習慣改變、經濟不
景氣、就業環境驟變引發了一陣失業潮，造成一堆的
社會新貧族、月光族，卡奴問題更是鬧得朝野沸沸揚
揚。其實歸根究柢就是現代人缺乏有力的理財教育。
金錢來了又去，如果你能瞭解錢是如何運轉的，那就
有了控制、駕馭它的力量。其實，**錢不在乎你能賺多
少，而是你能夠留下多少。**

35 歲之前的你正是社會中堅份子，但是你有想過
如何在金錢上做自己的主人嗎？例如每個月的薪資，
你有規劃拿多少用作生活費？多少拿來儲蓄當退休
金？多少當作兒女的教育基金等等，你都能合理分
配，不生苦惱嗎？

理財管理專家曾志堯先生在《35 歲前要有錢》**註**一書中提出了許多正確的金錢觀念，他強調倘若在 35歲前身上沒有點錢，就有可能窮一輩子！為什麼呢？因為經過統計，大部分人在出社會五到七年是最有可能「結婚生子」的年齡，而當你在結婚時，就很可能需要一筆錢，也許是買房子或其它；結了婚後，又將面臨扶養小孩的花費。可能你所有的薪水都要花在這二大開銷上，很難再有多餘的錢做其它的運用，，因此不趁著在這之前多存點本，將來就很難有機會再有閒錢產生，即使有也很有限。

沒有閒錢就無法用小錢賺大錢，也就無法做其它的投資，在這個錢賺錢的社會，倘若你在 35 歲前沒有一點錢，那麼窮一輩子就真的可能發生。

▶ 金融工具是幫你的，不要讓它們害你

《茶花女》中有一句名言：「**金錢是好僕人、壞**

註 相關內容摘自《35 歲前要有錢》由我識出版社出版。

主人。」金錢價值的好壞在於人如何去使用它。若使用得當，金錢作了你的「僕人」，可以忠心地為你服務，使你獲得幸福與財富；反之，變成可怕的主人，讓你受盡痛苦。而你是要做金錢的主人，還是金錢的奴隸，這反映了兩種不同的金錢觀。

金錢是適應商品交換的需要而產生的，它是幸福生活的必要條件，但並不等於幸福，因為人類不能沒有精神生活。物質生活富裕而精神生活空虛的人，就不會有真正的幸福。

同樣的，不斷求新求變的金融工具固然帶來不少便利，但如果使用不當，它們也會變成吃人的武器。譬如信用卡本是一種延遲付費的工具，讓你不用現金就可以這月刷，下月再付款。

如果你能妥善利用這一個月時間差付款的好處，那信用卡真的是好用又方便的金融工具。可是一旦沒有「今月事下月畢」的理念，總覺得以後再付就可以的話，你就掉進了信用卡陷阱，只繳每個月帳單的部分金額時，你就會開始負債了。

◉ 你是卡奴嗎？千萬別預支你的人生

近幾年來，台灣的整個消費信用債的放款餘額成長速度非常快，說明愈來愈多人透過信用卡消費，可是這些消費又沒有在期限內繳納完畢。

欠債還錢本是天經地義的事情，但就是有太多人高估自己的償債能力。最近卡奴問題頻頻出現，大家才開始重新注意到自己的負債。據金管會公布，台灣一般人平均負債金額是二十幾萬，除了車貸、房貸之外就是卡債；而且35歲以下的人，卡債更占了收入的三分之一到二分之一強。如果你是這樣的負債人生，你要怎麼去支應你未來？

在使用信用卡這類的金融工具時，你一定要在心裡告訴自己：我一定會準時付款。不動用循環利息，那你就是真的賺到延遲付費的好處。

◉ 免息分期是讓你方便地負債

銀行信用卡還很喜歡玩一種叫做「免息分期」的

遊戲。不管你買數位相機、名牌包包、出國旅遊等，什麼東西都可以免息分期。免息分期就是讓消費者每個月用比較小的金額去購買商品，乍看之下好像讓人輕鬆不少。但是，千萬不要忘記分期付款的本質：只要你一旦分期消費，你就是負債。

分期付款，雖然讓負擔不是一下子都聚在一起，但是你終究還是處在負債，這個月還了，下個月還得再還，因為那些都是應付帳款，你等於是在支付你未來的錢。分期付款可怕的地方，就在於一筆大金額分期變小，讓你誤認為自己並沒有花這麼多錢。

免息分期可說是銀行與廠商合作下的產物。當廠商推出金額較大的商品時，透過這機制，乍看之下金額似乎變小了，這便刺激消費者「又不算利息，我幹嘛一次繳清」的心態，等到多筆分期款項一次迸發出來，銀行就等著收循環利息了。

分期付款其實是很方便的工具，但你一定要有每次都要把所有金額都繳清的觀念，不管金額多大， 10 萬、 20 萬都要繳清，**讓銀行一毛錢都賺不到，而你**

賺了方便。

⊙ 理財之前先理債

相信很多人都知道要理財，也很想要理財；但陷
入負債危機的人卻很難理財，因為理財必須有個前
提，就是收入減掉支出之後，還要有所得，你才有可
能去理財；如果說你的收入小於你的支出，那就叫理
債了。

不管是在哪個年齡層，都可能有理財問題，更可
能有理債問題。年輕人愛動用信用卡的循環利息就是
他們必須清償的債務，而年紀大了以後買車子、房
子，所面臨的車貸、房貸問題，這些都是理債。

如果，現在的你有債務的話，一定要先理債再理
財，因為通常債務的利息支出會遠大於我們理財的利
息收入。但是千萬不要為了理財而負債，因為投資沒
有絕對，**只有循序漸進，保守才是最穩健的理財道
路**。

我們雖然常常在理財理債當中與金錢搏鬥，但是沒有後顧之憂的理財才是最穩當、最安全的做法。如果你有債款未清，那就先去理債吧，要理財之前，一定要先理債！

想要做金錢的主人其實很簡單，只要改變一個觀念就能讓你做到。

就像《富爸爸，窮爸爸》所說的「理財是社會人一項非常重要的遊戲規則，一個現代人必須突破傳統的金錢觀念，主動學習理財的知識和技巧，亮出你的財商，最終你就成為金錢的主人。」

記得前陣子我看過的電影「蝴蝶效應」，說明了渺小不起眼的事件或現象，在紛擾不可測的混沌中，可能會扮演具影響性的關鍵角色。就像主角企圖藉由回到過去，矯正已發生的錯誤。卻發現，他回到「過去」所做的任何一絲努力，都會使「現在」生活受到牽連，造成無法預見的影響，導致更多始料未及的連鎖反應！他只好一再回到過去，拼命和時間競賽，試圖再來彌補傷害.....

　　同樣的，我要借用「蝴蝶效應」的理論，來強調一個金錢觀念改變的重要，因為你**「現在」的一個小改變，將會影響你整個大「未來」**。35 歲前的你，想要做個金錢的主人，真正掌握致富的契機，如果不從「現在」就開始，那你將會離財富愈來愈遠。

第六部　通往成功的道路

32 生活就是要簡單

以前大家總是一窩蜂花錢買昂貴的營養食品，現在卻發現便宜的地瓜才最有營養……所以，貴並不代表有用，有錢並不能帶來真正的快樂；好東西常常藏在最便宜、最簡單的地方。地瓜哲學就是：東西的重要在於內涵營養，不在價格，生命也是如此。

曾有人說：年輕的時候，人們總是拼命想用「加法」過日子，一旦步入中年以後，反而比較喜歡用「減法」生活。

所謂「加法」，指的是什麼都想要多、要大、要好。例如，錢賺得更多、工作更好、職位更高、房子更大、車子更豪華等；當進入中年之後，很多人反而會有種迷惘的心情，花了半生的力氣去追逐這些東

西，表面上看來，該有的差不多都有了，可是自己並沒有變得更滿足、更快樂，才開始用「減法」丟棄生命中不必要的東西，以減輕心理的負擔。

▶ 生活由「減」開始

想要生活得快樂、滿足，就在 35 歲前開始用「減法」丟棄不要的東西吧！不要等到步入中年才開始起步，其實你可以現在就擁有簡單生活。

中國有句俗諺：知足者常樂。源於《老子》的「知足不辱，知止不殆，可以長久。」知足常樂，歷來都是中國人做人的一種境界，它說明一個人想獲得滿足和快樂並不困難，關鍵全取決於人的精神狀況。

但是所謂滿足快樂的內涵是很難界定的。誰也不能保證一個億萬富翁，能夠比鄉村裡的窮困農夫活得更幸福自在。也許富樂，或許窮亦樂，全在乎誰能知足。

很多時候，我們不知道滿足，對生活期待過多。有人埋怨父母沒有把自己生養在富貴之家；也有人望

子成龍心切。為什麼有如此多的不知足呢？這都是欲望的驅使，幻想的衝動、不切實際的需求使然。

當人的心中燃燒欲望時，知足常樂便是一劑很好的退燒藥。它會讓人發熱的頭腦適時降溫，保持一份坦然，多一份清醒。

有記者在訪問鴻海集團的郭台銘時，突然問他覺不覺得自己是皇帝？

郭台銘說：「我不是皇帝，我是地瓜！每年年終尾牙晚會我都是扮地瓜或聖誕老公公，絕不會扮皇帝，很多報導把我說得太偉大了。我的父親是公務人員，他給了我們很好的身教，教我們要安貧樂道，不該我們的就不要去拿，從小到大我們都沒有自己的房子，沒有沙發，最好的是藤椅，但我們從不覺得自己貧窮。」

這位台灣首富繼續說：「我一個月花不超過一萬元，現在有手機，我就連手表都不戴，光人家送的皮包、手表，我用都用不完，我的本性其實並不喜歡去享受。」

　　坐在老舊的藤椅上，卻覺得比別人坐在高級真皮沙發上還滿足，難怪郭台銘能成為台灣首富，因為在心境上，他已經是個富翁。

▶ 心境富裕才是真富翁

　　有錢不滿足，是穿著錦衣的窮人；坐擁許多物質內心卻不歡喜，則是精神赤貧者。人只有保持一個簡單知足的態度，生活才會快樂，社會才會和諧。知足與快樂息息相關，因為知足後心境才能平和，待人才能慈祥，微笑才能自然。即使三餐粗茶淡飯，也能感受生命的喜悅。這種境界是終日泡在榮華富貴中，卻永遠沒有滿足感的人所無法想像的。

　　以前大家總是一窩蜂花錢買昂貴的營養食品，現在卻發現便宜的地瓜才最有營養，到處掀起一股吃地瓜的熱潮。所以，貴並不代表有用，有錢並不能帶來真正的快樂；好東西常常是藏在最便宜、最簡單的地方。地瓜哲學告訴我們：**東西的重要在於內涵營養，不在價格，生命也是如此。**

　　最近網路上流行一句話：「**放開一點、簡單一點、單純一點；集滿三點，就會開心一點。**」說明了過簡單生活並不是等於貧窮，但**擁有開心絕對就是富有**。

　　生活簡單的人欲望很低，或者自己不願受欲望控制，把它看作是可大可小、可有可無的東西，能夠實現一點點就覺得福分不淺；如果不能實現，也毫不在意，把它放棄或轉移到其他地方就是。

　　生活簡單的知足者總是「**知命**」，而且「**認命**」。所謂知命，就是絕不貪得無厭，知道什麼時候得適可而止，見好就收；所謂認命，則是承認和接受現實，絕不進行無意義的抗爭。對他們而言，遭遇到的不幸和苦難都是必然，沒有什麼必要去痛哭流涕。否則整天活在海市蜃樓的幻想，沉迷塵煙往事的回憶，或怨嘆生活單調無聊，豈不是活得太累了。

　　雕刻大師羅丹曾說：「**生活中不是缺少美，而是缺少發現。**」不懂得欣賞生活可說是現代人最大的悲哀：早上還沒起床，就開始想著起床後要吃什麼、吃

早餐時又想著今天的午餐、上班時已開始計劃下班後
要如何打發……我們常忽略生活中的此時此刻，而把
過多精力浪費在未知的追求上。

之所以不能享受美好的生活，就是因為我們總是
擔心時間不夠、金錢不夠、地位不夠、權力不夠等，
所以便汲汲於追求時間、金錢、地位、權力……然
而，殊不知當我們活在當下時，既沒有過去拖著，也
沒有未來拉著，只要把全部能量集中在此刻時，生命
即會帶來無限的喜悅，我們便會發現許多過去不曾見
過的美好事物。

生活簡單者總能「陶陶然樂在其中」，只要思想能
放能收，能緊能鬆，能縮能伸，什麼情況都能理解，
什麼地方都能找到知足快樂的理由。

想要在 35 歲前擁有簡單人生的最重要法寶就是
「退一步想」，所謂退一步海闊天空，人生的奧祕在這
裡便得到極致的發揮。

星雲大師常說**滿足與歡喜才是人生真正的財富，**
富有並不是以存摺的數字來衡量，而是健康、智慧、

慈悲、感恩。

知足正是一種智慧,常樂則是感恩的境界。過簡單的生活並不是安於現狀,故步自封。而是對現有收穫的充分珍惜,對目前成果的充分享受,也是對現有潛力的充分發掘和對現有資源的充分利用。

當用「加法」不斷地累積,不再是人生的遊戲規則時。不妨用「減法」重新評估、重新發現、重新安排、重新決定你的人生順序。你會發現,一個人需要的其實有限,許多附加的東西只是徒增無謂負擔而已。在接下來的旅途中,因為用了「減法」,負擔減輕,你不再需要背負沉重的行李,你終於可以自在地敞懷大笑:**簡單一點,人生反而更踏實。**

35 歲前開始簡單生活吧!**一切從「減」開始!**

第六部　通往成功的道路

33 揮灑分享的藝術

歌德說：「能分享他人痛苦的，是人；能分享他人快樂的，是神。」生命活水是在分享中湧出，透過分享，人的發展也會比較平衡而完整。一個懂得分享的人，生命就像太平洋的活水一樣，豐沛而且充滿活力。

以追求財富為生活全部內容的人是無法使自己身心獲得寧靜的。如果人們只希望有一個寧靜的生存境界，卻又不想放棄對功利的癡求，那麼自然就會身心俱疲。

石油大亨約翰‧洛克斐勒在 33 歲那年賺到人生的第一個一百萬，到了 43 歲，他就建立世界知名的大企業「標準石油公司」。但不幸的是，53 歲時，他成了事業的俘虜，既貪婪又不願和人分享，身旁所有的人

都怕他，充滿憂慮及壓力的生活也壓垮了他的健康，甚至已離棺材不遠。直到他聽從醫生的勸告，放棄自己貪婪而患得患失的性格，開始學著與人分享，精神才真正獲得釋放，心靈重獲平靜。洛克斐勒的經歷告訴我們，能夠超越金錢、財富這些身外之物的追求，才能找到真正的幸福。

▶ 分享是種智慧

當你手上擁有六個蘋果的時候，千萬不要把它們都吃掉，因為你把六個蘋果全都吃掉，你也只是吃了六個蘋果，只吃到一種蘋果的味道。

但是，如果你把六個蘋果中的五個拿出來跟別人分享，儘管在表面上你是少吃了五個蘋果，但實際上你卻因此得到其他五個人的友情和好感。

以後你就有可能得到更多，因為當別人有了其他水果的時候，就一定會和你分享。你會從這個人手裡得到一顆橘子，那個人手裡得到一片西瓜，最後你可能就得到了六種不同的水果、六種不同的味道、六種

不同的顏色，以及五個人的友誼。

35 歲前，你一定要學會分享你所擁有的東西，去換取對你來說更加重要和豐富的東西。所以，我們說**分享是一種智慧的交流**。

▶ 因為分享，生命更豐富

分享與施捨有何不同呢？在我的理解是，當有人送你一件禮物，你非常喜歡，但是某個人，可能是家人或好友也很喜歡。這時，你面臨的就是要不要分享。如果是你不需要的東西，而決定送人，那就比較有施捨的意味了。

分享的心是高尚，施捨的心則是高傲的。分享是快樂祥和，施捨則有距離感。分享更不是富人的專利，深山裡路旁的一碗奉茶，就是有心人的一份真心，不懂得分享真意的人就一定端不出來。

但分享並不是傾倒你的垃圾，有時它反而是發現潛力的好方法。

知名的「周哈里窗戶理論」（JohariWindow）指出，人的內在就像一扇窗，被分成四個方塊。第一塊是自己看得到、別人也看得到的部分；第二塊是自己看得到、別人看不到；第三塊是別人看得到、自己卻看不到；最後一塊則是自己和別人都沒有發現的。

當你和人分享時，第二和第三塊就會愈來愈小，第一塊則會愈來愈大，因為你表達了自己的想法，別人也會把他所看見的告訴你。

或許很多人認為，只有在工作或學習的過程中，才能發現人的潛力，其實跟別人分享，對自己也會有更多的了解，如此在面對困境時，也就更容易找到解決方式。長此下來，跟只會埋頭苦幹的人比起來，差別自然愈來愈明顯。

▶ 分享的喜悅

其實，懂得「分享」，就會樂在分享的豐足感中。分享得愈多，喜悅就愈多。所以，別忘了時時與人分享！

　　我曾聽證嚴法師說過一個故事——在小村莊中，有位生性樂觀、做事勤奮的年輕人，雖然生活清苦，但每天工作時總帶著燦爛的笑容，還不時引吭高歌，很得村人的喜愛。

　　他的對面住了一位富翁，每天都很煩惱收不到租金，又害怕收租回來遭小偷，加上擔心親朋好友跟他借錢，所以不但拒人於千里之外，甚至一點風吹草動都讓他睡不著覺；久而久之，就變成神經兮兮、孤僻、又惹人厭。

　　富翁很嫉妒年輕人天天都那麼快樂，心想自己不快樂都是因為有錢的緣故，如果把錢給了年輕人，相信他也一定快樂不起來，再也唱不出歌了。

　　因此，富翁就在門外等年輕人下工回來，送給他一大筆錢。沒想到，隔沒多久，歌聲又再響起了，而且唱得更嘹亮，一直到夜深還未停。

　　富翁很生氣，覺得給年輕人這麼多錢，他應該和自己一樣煩惱，快樂不起來才對，怎麼還能快樂地唱歌呢？因此氣沖沖地跑去問他。

怎知年輕人回道：「你給我的錢，我放著也沒用，所以把它分給那些沒飯吃的人；大家都很感恩你的慈悲，我知道你愛聽歌，所以就用歌聲來謝謝你。」

富翁聽了才恍然領悟：原來，「分享」是如此的喜悅。

透過分享，個人的發展也會比較平衡而完整。

你可以試著玩玩分享的活動。比如，一群朋友圍坐在一起，每個人都用一個字來形容另一個人，大家想啊想，常常就會冒出驚人之語，而在這樣的互動下，無形中也增加對彼此的了解。

歌德說：「**能分享他人痛苦的，是人；能分享他人快樂的，是神。**」生命活水是在分享中湧出，透過分享，人的發展也會比較平衡而完整。一個懂得分享的人，生命就像太平洋的活水一樣，豐沛而且充滿活力。

不管是公事或個人，許多好點子、好的做事方

法、好的觀念，也都可以透過真誠分享獲得。如果你身在懂得分享的企業，那就真的要恭喜你了。

最懂得分享的企業，莫過於台南的奇美實業了，奇美董事長許文龍有一套「釣魚」管理哲學，他認為一群朋友釣魚，如果只有他釣到而別人沒有，那麼整船的氣氛就會很壞，所以要讓氣氛最好的情況，就是大家都釣到一樣多，或者是大家都沒有釣到，「釣魚不是為了吃魚，而是有大家分享的樂趣。」

所以，他將每年超過公司營利目標外多賺的部分利潤還給下游的廠商，雖然錢數不多，卻贏得廠商對企業的信任及認同；他甚至早在七〇年代就開始實施員工入股制度，目的就是讓員工和老闆直接受益企業的獲利。如此懂得分享的企業，難怪整個企業員工的向心力如此強烈，也難怪奇美能在高科技面板市場開創一片天。

那麼我們該如何在 35 歲前就培養出自己分享的能力呢？

首先，你要能夠**看到別人的優點和成就**，並且要

去了解為什麼他能夠做得到。

接下來，就是要**練習你表達的能力**，你要相信自己也是一個有優點、有成就的人，千萬不要怕別人嫌你不好。

第三則是**傾聽**，我想可能有很多人做不到這一點，因為人都不善於聽別人講話。我身旁有朋友是大企業的老闆，但大家聚在一起時，他總是一個人講個不停，很少聽別人講話。當然他是一個口才很好、很有學問的人，但是他就不會是一個好的分享夥伴。

最後一點，就是你**要會問問題**，如此才有彼此激盪的機會，想法自然就會更精彩充實。

分享其實就是善念的流轉，可能你分享的只是一件事、一個小東西、一個動作，甚至是一句話，但是影響的可能是一個人、一個家庭、一間公司，甚至是一個國家。**懂得揮灑分享的藝術，將能讓生命充滿色彩。**你還在等什麼呢？趕緊在 35 歲前培養與人分享的能力，從現在開始就和人分享吧！

我識成功專家

當代理財王・夏韻芬	**249** 元
當代法律王・謝震武	**249** 元
生活魅力健身王	(書+DVD) **299** 元
女人勝經	**249** 元
當代神算王・卜陽	**249** 元
有條件的幸福	(書+CD) **249** 元
贏在行銷	**199** 元
能量養身氣功	(書+VCD) **249** 元
新健康教育：5大種84類養身方法	**249** 元
女人，女人：幸福，是自找的！	**220** 元
專為七年級生寫的股票投資法	**249** 元
35 歲前要有錢	**249** 元
靠我，貧窮不再世襲	**249** 元

意識文化

1829：消失的 4,321 天	**199** 元
我的人生，我做主	**149** 元
每天禪一下：尋找希望的 132 種方法	**199** 元
我的人生，我在乎	**149** 元

日語學習類

快熟五十音	(書+CD) **199** 元
快熟基礎日語會話	(書+CD) **299** 元
快熟進階日語會話	(書+CD) **299** 元
哈燒日語會話	(書+2CD) **299** 元
哈燒日語四級檢定	(書+CD) **349** 元
哈燒日語三級檢定	(書+CD) **349** 元
哈燒日語四級檢定單字	**199** 元
哈燒日語三級檢定單字	**199** 元
用五十音學文法	(書+CD) **299** 元
1 次 1 分鐘學會五十音	(書+2CD) **299** 元

地球文學系列

單細胞的幸福：一種新的幸福方式	**220** 元

意識文學

改變自己・東山再起	**168** 元
找回熱情・快樂人生	**168** 元
每個你都如此重要	**168** 元
有種遺憾叫做愛	**180** 元
愛情，在生命的這一邊和另一邊	**180** 元

定價 **249** 元

定價 **249** 元

定價 **299** 元

定價 **180** 元

我識出版集團
I'm Publishing Group

全國各大書店熱烈搶購中！

大量訂購・另有折扣

劃撥帳號◆ 19793190　戶名◆我識出版社
服務專線◆（02）2578-8578 ・ 2577-7136

國家圖書館出版品預行編目資料

35x33：35 歲前要有的 33 種態度 ／ 蘇美靜,流川
美加,張軍 編著 . -- 初版. -- 台北市：易富文化,
2006〔民 95〕
　　面；　公分

　ISBN 986 - 81849 - 7 - 5（平裝）

　1. 成功法　　2. 生活指導

177.2　　　　　　　　　　　　　　　95003313

書名／35x33：35 歲前要有的 33 種態度

編著／蘇美靜・流川美加・張軍

發行人／蔣敬祖

總編輯／王毓芳

主編／陳佳芳

執行主編／陳弘毅・王啟榆

執行編輯／方秋雅・葛庭甄・羅文廷・葉慧蓁・廖晏婕

視覺設計／王怡人

法律顧問／北辰著作權事務所蕭雄淋律師

印製／世和印製企業有限公司

初刷／2006 年 4 月

再刷／2006 年 9 月 36 刷

出版／我識出版集團—易富文化有限公司

電話／（02）2578-8578 ・ 2577-7136

傳真／（02）2578-8286

郵政劃撥／19793190

戶名／我識出版社

地址／台北市光復南路 32 巷 16 弄 4 號 1 樓

網址／www.17buy.com.tw

Email／iam.group@17buy.com.tw

定價／199 元

台灣地區總經銷／創智文化有限公司　地址／台北縣中和市橋和路 110 號 2 樓

iF
易富文化
17buy.com.tw